悲劇の世界遺産

ダークツーリズムから見た世界

井出 明

文春新書

1313

悲劇の世界遺産　ダークツーリズムから見た世界　目次

はじめに

「世界遺産」という言葉は、知らぬ者がいないほどの馴染み深い存在となったと言えよう。もちろん、世界遺産に言及した書物も数多く出版され、興味深い本が書店に並んでいる。

　しかし、その主力はパンフレットのように世界遺産を紹介したものであり、一冊を貫く確固たる価値概念に欠けたものが多いのもまた事実である。きれいなカラーの写真に彩られたムック本は、読み手の心をくすぐるが、カタログ雑誌における〝消費の刺激〟のような影響しか与えないのかもしれない。

　一方、専門家による硬質な良書もたくさんある。例えばユネスコ事務局長を務めた松浦晃一郎氏の論考『世界遺産　ユネスコ事務局長は訴える』（講談社）は、筆者にも大きな感銘を与え、本書の執筆にあたっても参考にさせていただいている。その他、歴史学や考古学、また生物学などを専門とする方々による著作は、世界遺産という制度が学術研究と密接に関係していることに改めて気づかせてくれる。

これらの書物はなるほど確かに素晴らしいのだが、世界遺産という制度や遺産そのものの価値を説明したものが多く、訪問客が如何に世界遺産と対峙すべきかという利用者側からの視点に乏しい。旅人が世界遺産という、「人類普遍の価値」に出会ったとき、何を考え、どのような態度を取れば良いのかという観点から書かれた書物はほとんどないのではないだろうか。

そこで本書では、数多く存在する世界遺産を観る視点として、「ダークツーリズム」という眼差しを設定してみたい。

ダークツーリズムとは平たく言えば、「戦争や災害などの悲劇の記憶を巡る旅」ということになり、世界遺産にも登録されているアウシュビッツ強制収容所や広島の原爆ドームなどがその対象となっている。実は、世界遺産登録物件の相当数が、こうした悲劇の記憶を持つ文化財であり、自然遺産についても環境問題と関係するケースがある。

日本人は通常、世界遺産と言えば、輝かしい文化文物ばかりを思い浮かべがちだが、世界遺産制度の趣旨は人類にとっての「顕著な普遍的価値」を次世代に受け継ぐことであるから、当然のことながら悲劇の記憶もその対象となる。本文で詳しく述べている通り、ユネスコ自身は特に「負の遺産」という概念を用いず、世界遺産については光の記憶も影の記憶も後世に受け継ぐようになっている。本書では、旅人が影の記憶を持つ世界遺産をどのように見ていくのかという点について、対象を固定的に観るのではなく、比較文明論的な視点から相対化して解釈するように心がけた。

ここで行われている営為は間違いなく「観光」であるわけだが、観光という行動が単にレジャーにとどまるわけではなく、啓発に溢れ、有益な示唆に富むことを感じ取っていただければ幸いである。

本書は全体としては以下の構成をとっている。まず初めに、1章で世界遺産制度の概略とダークツーリズムの考え方に触れた後、2章からはテーマ別に世界遺産を対象としたダークツーリズムの旅が始まる。2章は、ダークツーリズムを語る上で絶対に外すことのできないアウシュビッツ強制収容所を掘り下げる。3章は産業遺産を扱っているが、世界の様々な工業化の跡を俯瞰的に比較することで、産業革命がもたらした影の部分について考察したい。4章は「島」がテーマである。島の旅は楽しい思い出になりそうであるが、経済システムから考えてみると非常に生産性の低い存在と言える「島」は、有史以来多くの辛酸を嘗めてきた。5章は、「長崎と天草地方の潜伏キリシタン関連遺産」を主たる対象とし、世界遺産制度が持つ問題点や疑念に関して分析した。6章は自然災害を扱っており、日本では多くが撤去されつつある震災遺構に関し、実は世界遺産になりうるポテンシャルがあることを強調した。7章は、２０２０年における新型コロナウイルスの猛威を踏まえ、終章として今後の世界遺産についてどう考えていくべきかという点から、全体をまとめている。

付章の「カリブの旅」は、私の長期アメリカ出張の合間にとった休暇の紀行文である。もちろんこの章もダークツーリズムと世界遺産の関係性について考えている。但し、「旅」そのものは非常に楽しく、積極的に出かけてほしいという願いを込め、軽い筆致での叙述となっている。

本書を読まれるにあたっては、1章から始めることを勧めたいが、細かい制度などに拘らず、まず世界遺産という仕組みの大枠を摑むことを念頭に置かれたい。その後、2章のアウシュビッツについては、世界中のダークツーリズム研究者が必ず一度は調査したい場所であるので、ここまでは順番通り進んでいただき、3章から6章は、お好きなところを先に読んでいただくというので良いであろう。各章はテーマごとに独立しているので、ご自身の関心や知識が深い分野から向き合ったほうが、理解が早いと思われる。

　それでは、まず1章において現在の世界遺産制度の概略を見た上で、旅に出てみることにしよう。

第1章　世界遺産制度の概要とダークツーリズムの考え方

「世界遺産」、その響き

「世界遺産」という言葉を聞いたときに、多くの人々はどういったイメージをいだくであろうか。大多数は、「地域の誉れ」という感じで、ポジティブな印象を持つであろう。

しかし、世界遺産の概念は光の要素だけで出来ているわけではなく、多面的な様相を持っている。元々、１９７８年に行われた初回の世界遺産登録に関してみると、＊文化遺産について８ヵ所、＊自然遺産について４ヵ所が入ったわけだが、文化遺産のうち１ヵ所は西アフリカの＊ゴレ島を含んでいた。この島は、元より奴隷売買の場所として知られ、そこには人類の悲劇の記憶が湛えられている。そして、翌年の第二次の世界遺産登録では早くもアウシュビッツ強制収容所が入ってきている。

＊文化遺産：アーヘン大聖堂（ドイツ）、ランス・オ・メドー国定史跡（カナダ）、メサ・ヴェルデ国立公園（アメリカ）、ラリベラの岩窟教会群（エチオピア）、ヴィエリチカとボフニアの王立岩塩坑群（ポーランド）、クラクフ歴史地区（ポーランド）、キトの市街（エクアドル）、ゴレ島（セネガル）。

＊自然遺産：ガラパゴス諸島（エクアドル）、イエローストーン国立公園（アメリカ）、ナハニ

国立公園（カナダ）、シミエン国立公園（エチオピア）。

＊ゴレ島：セネガルの首都ダカールの沖合約3キロメートルに浮かぶ大西洋上の小島。

要するに、世界遺産という言葉を聞くと、日本人は一般的に何か地域にとって誇らしい「光」を感じると思うが、この言葉には本来、光と影の両義性が含まれているのである。そもそも、「遺産」という言葉の本来的意味を考えても、必ずしも親からの相続がプラスになるとは限らない。借金を残して死ぬ親もいるわけで、欧米では特に「負の世界遺産」という概念がなく、一般的に悲劇性を持った遺構であっても、世界遺産の対象として理解されていることには留意していただきたい。

その思想的背景はかなり面白いのであるが、ここでは文明論そのものには立ち入らないため、関心のある方は拙著『ダークツーリズム　悲しみの記憶を巡る旅』（幻冬舎新書）を参照されたい。

世界遺産の仕組みが生まれるまで

さて、この本は世界遺産を紀行の対象として回り、思索を深めるということを目的としているので、制度そのものの解説をするつもりはない。ただ、世界遺産の仕組みについて

雄大な黄山の風景。複合遺産として世界遺産に登録されている

最低限の理解があれば旅の面白さも倍増すると思うので、この節では入門的な説明だけ行い、詳しくは巻末に記した世界遺産の参考文献をお読みいただきたい。

通常、「世界遺産」と言えば、「世界文化遺産」と「世界自然遺産」の2つを指す。「文化遺産」という言葉でくくられる対象は、一般に建造物やその遺構をさすが、ユネスコの世界遺産の対象が拡大されるにつれて、現在は「景観（わかりやすく言えば風景）」も世界遺産登録の対象となっている。「自然遺産」は、基本的に字義通りに取っていただき、後世に残すべき美しい自然環境を想定している。まれに中国の黄山*やペルーのマチュ・ピチュ*など、文化遺産及び自然遺産の両方になる資質を備えた対象は「複合遺産」として登録されることがあるが、あまり例は多くなく、日本からは一件もない。

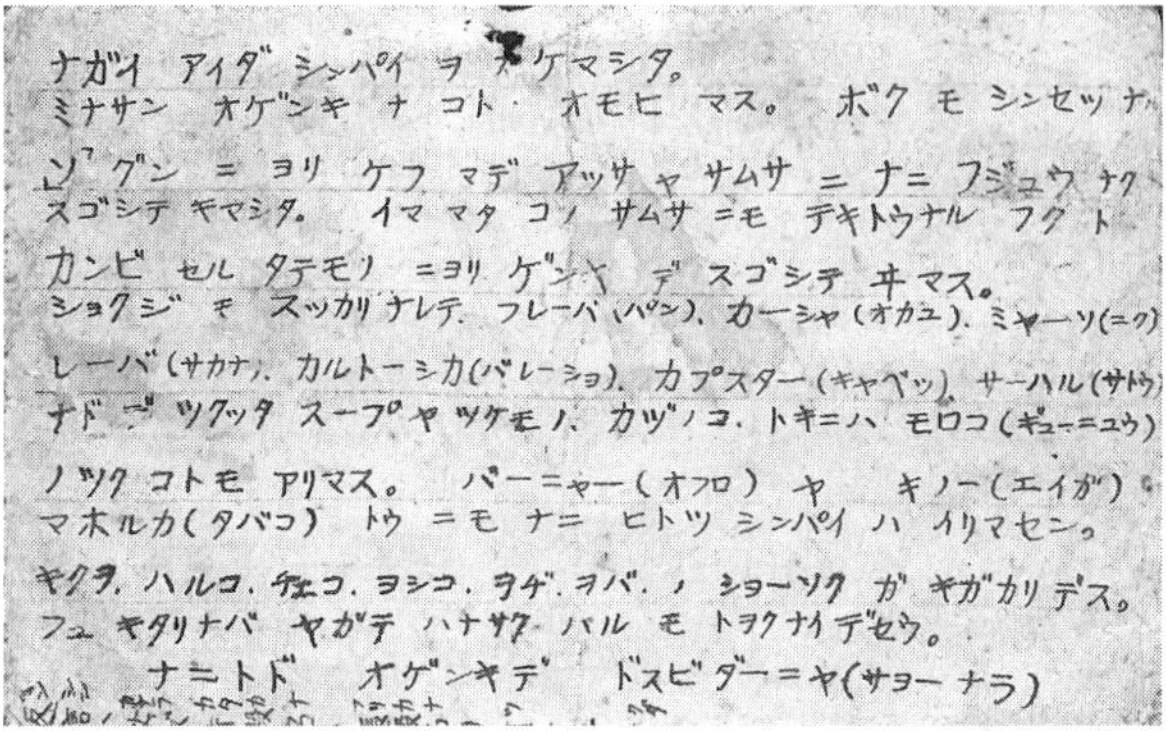
ナガイ アイダ シンパイ ヲ ケマシタ。
ミナサン オゲンキ ナ コト オモヒ マス。ボク モ シンセツナ
ソ゛グン ニ ヨリ ケフ マデ アッサ ヤ サムサ ニ ナニ フジユウ ナク
スゴシテ キマシタ。イマ マタ コノ サムサ ニモ テキトウナル フク ト
カンビ セル タテモノ ニヨリ ゲンキ デ スゴシテ ヰマス。
ショクジ モ スッカリ ナレテ、フレーバ（パン）、カーシャ（オカユ）、ミャーソ（ニク）
レーバ（サカナ）、カルトーシカ（バレーショ）、カプスター（キャベツ）、サーハル（サトウ）
ナド デ ツクッタ スープ ヤ ツケモノ、カヅノコ、トキニハ モロコ（ギューニュウ）
ノツク コトモ アリマス。バーニャー（オフロ）ヤ キノー（エイガ）
マホルカ（タバコ）トウ ニモ ナニ ヒトツ シンパイ ハ イリマセン。
キクヨ、ハルコ、ケイコ、ヨシコ、ヨゲ、ヨバ、ノ ショーソク ガ キガカリデス。
フユ キタリナバ ヤガテ ハナサク ハル モ トヲクナイデセウ。
ナニトド オゲンキデ ドスビダーニャ（サヨーナラ）

世界の記憶（世界記憶遺産）に登録された「舞鶴への生還 1945～1956 シベリア抑留等日本人の本国への引き揚げの記録」（舞鶴引揚記念館所蔵）

＊黄山：中国・安徽省にある景勝地。仙境を彷彿とさせる山水画の世界が広がる。
＊マチュ・ピチュ：ペルー南部、クスコ県にあるインカ帝国の都市遺跡。標高約２４００メートルにある。

このいわゆる「世界遺産」以外にも、〃世界ナントカ遺産〃という言葉はしばしば聞くと思う。ユネスコ自体が所管するプログラムでは「世界記憶遺産（正式名称は「世界の記憶」）」と「世界無形文化遺産」という制度が一般に知られ、メディアからは「ユネスコの三大遺産事業」と呼ばれることがある。

　このうち「世界の記憶」は、人類が後世に伝えるべき資料の原本を〃遺産〃として認定する仕組みである。世界の記憶については、中国が

南京大虐殺の関係資料を記憶遺産に推薦し、日本がその政治性に抗議する一方で、逆に日本がシベリア抑留の資料を推薦しようとした時に、ロシア側から反対を受けるなどの国際問題がしばしば現れている。

さらに、無形文化遺産については、これもまた読んで字のごとく、食文化や伝統工芸など、不動産を中心とした世界文化遺産の制度では対応できない人類文化の保持・保全に貢献している。日本では、和食や和紙の製法などがこれに該当し、伝統の維持に一役買っている。世界の記憶も無形文化遺産も重要な社会的役割を担っているが、通常「世界遺産」と言った場合にこの2つは入らない。

ところで筆者の住む石川県では、「能登の里山里海」が「世界農業遺産」というものに登録されており、棚田である「千枚田*」がその象徴として知られているが、これはそもそもFAO*（国際連合食糧農業機関）が所管しており、ユネスコの行っている遺産事業ではない。「遺産」という言葉が付与される対象はかなり多いのであるが、本当に「世界遺産」と呼べるものはあまりないのである。

＊千枚田：石川県輪島市にある白米《しろよね》千枚田。水田一面あたりの面積は約18平方メートルで、約4ヘクタールの範囲に1004枚の棚田が展開する。

＊ＦＡＯ：１９４５年設置、国際連合専門機関の一つで、世界の食糧生産と分配の改善と人々の生活向上を通じた世界経済の発展及び人類の飢餓からの解放を目的とする。

話を本筋の「世界遺産」に戻そう。

この世界遺産という概念が確立してくるにあたって、戦争は大きな意味を持っていた。欧州における第一次および第二次世界大戦の惨禍を見ればわかるのだが、この二度の戦争を通じて、芸術品・美術品を戦火から守ろうとする動きが高まった。

戦後は特に、エジプトのアスワン・ハイダムの建設に絡んで、人類の貴重な文化遺産である＊アブ・シンベル神殿の水没が現実の不安となった。さすがに、これを見過ごすことは、国際社会からも批判の声が上がり、戦後に設立された国際連合の専門機関であるユネスコの指揮で、こちらの遺産は移設・保存された。

＊アブ・シンベル神殿：古代エジプトの岩窟神殿。エジプトのアブ・シンベルにあり、ラムセス２世（在位前１３０４～前１２３７年）の造営でハトル女神をまつる。大小２つの神殿から成る。

こうした文化財を国際的に保全しようとする動きは、１９７０年代になり、世界遺産条約として結実する。具体的には、１９７２年にユネスコの総会で採択され、１９７５年に批准国が増えたことによって正式に発効した。

日本については、昨今の〝世界遺産狂騒曲〟とも言える状況から考えると信じがたいことであるが、この段階では、政府は当該条約にあまり関心を示さず、まだ日本は世界遺産制度に距離を置いていたと考えられる。

日本への波及

条約は良いものだからと言って、政府としては簡単に締結するわけにはいかない。外国との約束事である条約については、政府で責任を持って国内で実効化する目処が立たない限りは、普通締結しないこととなっている。

世界遺産条約についても、文化財なり自然環境なり、それらの維持保存にあまり社会が関心を払っていなかった時代は、そのための国内法も整備されておらず、関係者が条約を締結したくとも出来ない状況にあった。時代が平成に入り、国民の文化財への理解も高まるとともに、自然環境の保護への意識も増大し、関連法制が整備され、徐々に世界遺産条約を締結する素地が生まれていった。

こうして日本でも世界遺産条約を受け入れる準備が整い、当該条約は１９９２年に国内でも正式に発効することになる。翌年、第一弾となる日本初の世界遺産として、文化遺産は「法隆寺地域の仏教建造物」及び「姫路城」、自然遺産については「白神山地」と「屋久島」が登録された。

日本でもっとも早く世界遺産に登録された姫路城

　こうした経緯を見ると、世界的には世界遺産という仕組みは遺跡なり自然環境なりを守る仕組みであるのに、日本ではまるで観光振興のように扱われていることに違和感を覚えるかもしれない。その感覚はまったくもって適切で、元々このシステムには観光振興という目的はなかった。ただ、アフリカ等で世界遺産に登録された場所に、多くの観光客が集まる様子は幅広く確認されており、途上国が経済目的のために世界遺産の登録を欲しがっているという点は押さえておきたい。

　日本政府が世界遺産条約の締結を検討する際に、そうした国際的な流れを知らなかったとは思えず、世界遺産登録後にどう活用するのかというレベルまで想定した上で、90年代はじめに世界遺産の仕組みに参加したと推察される。実際、その後の日本における世界遺産については、地域振興にかなり軸足がおかれており、文化財の維持・保全という視点は相対的に小さくなっているように皆さんも思われるであろう。

登録までの手順

世界遺産の登録手続きは、これまで何度も変更されてきているが、ここでは２０２０年段階で決まっているルールの概略を述べる。

さて、前述の通り、いわゆる「世界遺産」には、世界文化遺産と世界自然遺産の二系統があり、まれに両者の要素を兼ね備えた場合に世界複合遺産として登録される。

この世界遺産となるためには、世界遺産条約に加盟する各国から、国内での選考を勝ち抜いて、国から「推薦」を受けた対象だけが、世界遺産になる可能性を有する。この推薦を受けるにあたっては、まず、各国の「暫定リスト」に掲載されることが必要となる。日本の場合、若干の例外はあったが通常、文化遺産は文化庁、自然遺産は環境省が中心となって司る。文化遺産は現在6件*が暫定リストに載っており、自然遺産は今の所、「奄美大島、徳之島、沖縄島北部及び西表島」がまとめて1件として掲載されている。

＊6件の暫定リスト：古都鎌倉の寺院・寺社ほか（神奈川県）、彦根城（滋賀県）、飛鳥・藤原の宮都とその関連資産群（奈良県）、北海道・北東北の縄文遺跡群（青森県・北海道・秋田県・岩手県）、金を中心とする佐渡鉱山の遺産群（新潟県）、平泉—仏国土（浄土）を表す建築・庭園及び考古学的遺跡群—（岩手県）。

日本の世界自然遺産暫定リストに挙がっている西表島の美しい海

専門家の間では、学術的価値の高い物から推薦されていくべきであるという考えが強いが、実際には政治力によって推薦が左右されることもしばしばある。例えば、２０１５年に世界遺産に登録された*「明治日本の産業革命遺産　製鉄・製鋼、造船、石炭産業」は、順番から言えば、後に登録されることになる*「長崎と天草地方の潜伏キリシタン関連遺産」（当時は「長崎の教会群とキリスト教関連遺産」の名称）の方が先行すると思われていた。ところが、産業遺産については安倍政権肝いりの内閣官房直轄案件であり、いわば順番を飛び越える形で世界遺産に推薦されることになった。

＊明治日本の産業革命遺産：九州の5県、山口、岩手、静岡の計8県に点在する23資産で構成される近代日本の産業遺産群。「恵美須ヶ鼻造船所跡」（山口県）、「官営八幡製鐵所」（福岡県）、「端島炭坑」（長崎県）、「韮山反射炉」（静岡県）など、幕末から明治期の日本における重工業分野（造船、製鉄・製鋼、石炭産業）の急速な産業化の軌跡を示す一連の産業遺産によって構成される。3章の主要テーマとした。

＊長崎と天草地方の潜伏キリシタン関連遺産：長崎と天草地方に点在する潜伏キリシタンに関する集落・城跡・天主堂などの文化遺産。詳しくは5章で述べる。

国内を勝ち抜いた次の段階であるが、各国が「推薦」をしたからと言って、必ずしも世界遺産になれるわけではない。文化遺産については、ユネスコの諮問機関である「国際記念物遺跡会議（ICOMOS/International Council on Monuments and Sites：通称イコモス）」が、そして自然遺産については「国際自然保護連合（IUCN/International Union for Conservation of Nature and Natural Resources）」がユネスコの世界遺産委員会に勧告を出し、通常はそれに基づいて登録がなされる。ただし、この最終段階においても政治力を中心に良くも悪くもひっくり返ることがたまにあり、例えば後に詳述する石見銀山＊の登録にあたっては、イコモスは「登録延期」を勧告したものの、ユネスコの会議では真反対の結論が出てしまった。

＊石見銀山：江戸時代に生野銀山と並ぶ地位を占めた銀山。現在の島根県大田市に当時の景観が残る。3章で詳しく紹介している。

この世界遺産の推薦の仕組みは紆余曲折があったものの、２０１４年の審査以降は１ヵ国につき原則的に自然遺産（もしくは文化的景観でも可）一つまで、文化遺産も一つまでということで、1年で2遺産を登録させることが可能であったが、２０２０年からは年に１ヵ国一つに制限されることになった。

世界遺産となる基準

世界遺産になるためには、世界遺産条約を受けた「世界遺産条約履行のための作業指針」にある基準を満たさなければならない。それは10項目から成り立っており、以下に全容を示すが、専門家にとっては辛苦の結晶であるものの、一般人の目には完全に「役所の文書」なので、細かいことに拘らず、概略だけ見て先に進まれて結構である。翻訳は数バージョンあり、ここでは文化庁の仮訳を元にした日本ユネスコ協会の資料に従った。

（i）人間の創造的才能を表す傑作である。

（ii）建築、科学技術、記念碑、都市計画、景観設計の発展に重要な影響を与えた、ある期間にわたる価値観の交流又はある文化圏内での価値観の交流を示すものである。

（iii）現存するか消滅しているかにかかわらず、ある文化的伝統又は文明の存在を伝承する物証として無二の存在（少なくとも希有な存在）である。

（iv）歴史上の重要な段階を物語る建築物、その集合体、科学技術の集合体、あるいは景観を代表する顕著な見本である。

（v）あるひとつの文化（または複数の文化）を特徴づけるような伝統的居住形態若しくは陸上・海上の土地利用形態を代表する顕著な見本である。又は、人類と環境とのふれあいを代表する顕著な見本である（特に不可逆的な変化によりその存続が危ぶまれているもの）。

（vi）顕著な普遍的価値を有する出来事（行事）、生きた伝統、思想、信仰、芸術的作品、あるいは文学的作品と直接または実質的関連がある（この基準は他の基準とあわせて用いられることが望ましい）。
（vii）最上級の自然現象、又は、類まれな自然美・美的価値を有する地域を包含する。
（viii）生命進化の記録や、地形形成における重要な進行中の地質学的過程、あるいは重要な地形学的又は自然地理学的特徴といった、地球の歴史の主要な段階を代表する顕著な見本である。
（ix）陸上・淡水域・沿岸・海洋の生態系や動植物群集の進化、発展において、重要な進行中の生態学的過程又は生物学的過程を代表する顕著な見本である。
（x）学術上又は保全上顕著な普遍的価値を有する絶滅のおそれのある種の生息地など、生物多様性の生息域内保全にとって最も重要な自然の生息地を包含する。

この内（i）～（vi）が文化遺産に関わるルールであり、一方（vii）～（x）は自然遺産に用いられる。また、（vi）の基準は通常単独では適用されないことになっている。

世界遺産は、元はヨーロッパの価値観で出来上がったルールであるため、石造文化を前提としていた。したがって、木でできたアジア系の文化については、長年の劣化により建造物として残っていないものを世界遺産として登録しにくかった。そこで、具体的には右記（iv）において景観が追加され、石の構造物のないアジア的な風景に近い存在も世界遺産として登録されることになった。

これに限らず、随所に様々な微調整が図られ、現在に至っていることは知っておいていただきたい。我々日本人にとって馴染み深い「産業遺産」が世界遺産に登録可能になったのも、実は、この（iv）に「科学技術の集合体（技術の集積）」が追加されたためである。

大学の講義であれば各項目を解説するのであるが、本書は旅と観光の本であるため、ここでは理論的な話は差し控える。ただ世界遺産に登録されるためには、右記にあげたような「普遍的価値」が必要であるとされているので、実際に世界遺産登録されている場所に行って、その「価値」について確認して欲しい。

現地でその対象物の説明板を見ると、右記項目のどれに該当して世界遺産に登録されたのかが必ず記載されているので、その評価ポイントについて、その場で感じ取ることができるかどうかが肝要であろう。筆者の経験では、基本的に「なかなか良いではないか」と感銘を受ける一方で、全てが感動的で素晴らしいというわけでもなく、「何だこりゃ」という世界遺産にもかなりの確率で出会うことになる。その裏には、かなり政治の力が暗躍しているのだが、それについては各論部分で詳しく述べよう。

これが現行の世界遺産制度のあらましであるが、これを押さえておくだけで、世界遺産のある場所に行った際に、相当面白くモノと対面できると思う。ここまでたどり着くと、「すごいねー」や「きれいだねー」を超えた世界遺産の本質に迫れるようになる。

ダークツーリズムとは何か

ここから本書のもう一つの柱である、〝ダークツーリズム〟に関して説明を加える。

読者諸氏は「ダークツーリズム」という言葉を聞かれたことがあるだろうか？　２０１３年の新語・流行語大賞にノミネートされたこともあるので、小耳に挟んだ方もいるかもしれない。

この言葉は、１９９０年代にイギリスで生まれた新しい観光の概念で、「戦争や災害などの悲劇の記憶を巡る旅」を指す。欧米ではここ20年で非常に一般化するとともに、日本では福島第一原発の事故を受けて、思想家である東浩紀氏がその跡地を観光地

東浩紀氏が編集した『福島第一原発観光地化計画』は、「ダークツーリズム」という言葉を普及させた

化しようとした[*]『福島第一原発観光地化計画』の発表後、急速に一般化していった。ちなみに拙著の校正中に、ウクライナ政府がチェルノブイリ原発の遺構を世界遺産化する方針を固めたため、東氏の構想は非常に先駆的であったと言える。

＊『福島第一原発観光地化計画』：福島第一原子力発電所の跡地と周辺地域を後世に残すために「観光地化」することを提言した書。２０１３年11月、ゲンロンより発行された。

ダークツーリズムという言葉の広まりが、２０１１年以降であったため、一部には「被災地を旅することがダークツーリズム」だと誤解されているが、傍点に示した通り、戦争や災害だけでなく、近年は「など」の部分が増加していることには注意しておいても良いであろう。

この「など」が指す内容は多岐にわたる。環境破壊（公害）・性的搾取・労働問題・病気・犯罪に関係した場所をはじめとして、人類のネガティブな記憶に関係する場所は、全て潜在的にダークツーリズムの対象となる。

ただ、「関ヶ原の合戦地はダークツーリズムの対象となるか？」と言われるとそれは意味が異なる。ダークツーリズムは、大量生産や科学万能主義といった近代社会の価値概念が突き当たった壁について考えるためのきっかけとして捉えられることが多い。具体的には、近代の価値概念の行き着いた先が、アウシュビッツの大量虐殺であったり、広島・長崎の原爆であったことを主体的に問い直そうとするヨーロッパの知識人たちの動きが背景にある。彼らの間で近代の限界を再考しようとする〝ポストモダン〟なる思想運動のうねりが起こり、この大きな流れの中でダークツーリズムも連動しつつ一般化していった。したがって、ただ沢山の人が亡くなれば、それだけでダークツーリズムの対象になるわけではないことは押さえておきたい。あくまでも「近代の反省」としてダークツーリズムが存在する。

　また、ポストモダンの考え方と、自然災害の間には関連性がないと思われる向きもあるかもしれない。実は近代以降の自然災害は、単に天災では片付ける事が出来ず、そこには文明社会が背負う「業」と密接な関係がある。関東大震災時における朝鮮人虐殺は、日本の近代化に伴う朝鮮半島からの移民の受け入れが背景にあるし、東日本大震災における福島第一原発の事故は津波による浸水が引き金であった。つまり、近代以降の自然災害は単独で恐ろしいものではなく、社会問題や科学技術の潜在的暴力性などと相まって、その恐怖は増大することとなる。これが、自然災害もポストモダンの思考で分析されるべきとされる所以である。したがって、津波や地震をはじめとする自然災害も、基本的にダークツ

東漸寺（横浜・鶴見区）にある「故大川常吉氏之碑」。関東大震災時、神奈川警察署鶴見分署長の職務にあった大川は、暴徒に追われて警察署に逃げて来た朝鮮人を匿（かくま）い、多くの命を救った

ーリズムの研究対象になる。

これら悲劇の場所を巡るダークツーリズムの効用は、地域のアイデンティティの確立、観光資源の掘り起こしなど様々に言及されるのであるが、なかでも「ダークツーリズムの目的は、悲劇の記憶を共有し、承継した上で、教訓化することにある」という主張については、ほぼ異論はない。

こうした「教訓」による記憶の承継は、「世界遺産」という仕組みの中で、非常に活発に行われている。アウシュビッツ強制収容所や原爆ドームはその典型であり、こうした先駆的な例が、ダークツーリズムという考え方を牽引してきたと言って良い。

ダークツーリズムの視点から見た世界遺産

前述の通り、我々日本人は、「世界遺産」というと、登録されることで観光地化されると思っているフシがあるが、世界遺産というシステムの制度趣旨は、実はかなり異なっている。世界遺産の仕組みは、それに登録することで、開発や消費による傷みから当該遺産を守ろうとするところに眼目があり、また、世界遺産に登録されると、建造物に関しては改築が厳しく規制されるため、観光利用の自由度は実はかなり制限されてしまう。要するに、世界遺産に関しては、「保護」が制度の目的の中核をなす。

次に、世界遺産として登録される際には不可欠の「普遍的価値」の中身について考えてみよう。将来に残す「普遍的価値」としては、教訓を含んでいたほうが一般論としても有益なわけで、21世紀になってからは世界遺産登録にあたっては、一段と人類史のダークサイドを意識した検討がなされていると言って良い。

２０１８年に世界遺産登録された「長崎と天草地方の潜伏キリシタン関連遺産」については、そのアイデアの原型が登録の3年前にもイコモスに出されているが、当時は「禁教の中で信仰を守り続けた麗しい話」というストーリーが描かれていた。しかし、イコモスの側としては、「禁教（宗教弾圧）に対する言及が薄い」という認識を持ったために、日本は一度、申請を取り下げざるを得なかったという経緯がある。5章で詳述する通り、日本人が世界遺産に対して抱きがちな「地域の誉れ」のような観点だけでは、世界遺産という仕組みを十分には理解できないし、そもそも世界遺産登録を目指すのであれば「歴史の影」の部分により敏感になってしかるべきであろう。

つまり、世界遺産に関しては、ダークツーリズムと分かちがたく結びついた登録対象が存在し、ダークツーリズムの考え方を持ちつつ現地を訪問することで、より深い理解が可能になると言えるのである。

次章からは、ダークツーリズムという方法論に基づいて、様々な場所を実際に訪れつつ、世界遺産との関係性について掘り下げる。ただ、本書を手にとっていただく以上、単に「行ってみて面白かった」というだけでは紀行としての価値はないだろう。紀行文として成り立つためには、他地域や異なる時間との比較及び考察が必要となる。世の中にあまた旅のレポートはあるのだけれども、本書に独自の価値が存するとすれば、今までに意識していなかった新しい比較の視点やモノの見方を提示することにあるかと思う。詳論は各章に譲るが、例えばフランスのル・アーブル*と岩手の陸前高田*を対比的に考察する試みなどは、ダークツーリズムならではのダイナミズムであると言える。旅を通じて、現代の再構成に挑んでみたい。

*ル・アーブル：フランス北西部、イギリス海峡に面する海港都市。第二次世界大戦で港湾、

市街ともに大半を破壊されたが、オーギュスト・ペレの都市計画によって再建された。６章で詳細に紹介。

＊陸前高田：２０１１年の東日本大震災の際に、市の全世帯のうち7割以上が被害を受けた。津波の再来に備えた防潮堤建設や土地のかさ上げに加え、都市機能の再建と産業復興が進められている。６章で考察している。

第2章　アウシュビッツとクラクフから考える

アウシュビッツを訪れる

一般に「アウシュビッツ」と呼ばれる施設は、ポーランドのクラクフ郊外の街であるオシフィエンチム（ナチスの占領下では、ドイツ語でアウシュビッツと呼ばれていた）に、ナチス・ドイツが建設した収容施設を指す。この施設は、近接するビルケナウという地に、より大規模ないわゆる「絶滅収容所」を作っているが、一般に「アウシュビッツを訪問する」と言えば、このビルケナウを含めた行程を指すことになる。

アウシュビッツは、世界遺産に関する国際会議の初期段階から登録が検討されていたが、実際には1978年に登録された最初の8つの文化遺産には入らず、その翌年に世界遺産の仲間入りをした。ナチス・ドイツによるユダヤ人大量虐殺の現場であったために世界遺産登録されたと思いがちであるし、また実際そうなのであるが、訪問してみるとこの世界文化遺産が我々に投げかける問題意識は、単に虐殺の話にとどまらない。この地を訪れてみて初めて感じる論点も数多く、「苦難の重層性」こそが、この地をして世界遺産たらしめたのではないかと思うほどである。もう少し具体的に見てみよう。

夏の繁忙期にアウシュビッツを見学するにあたっては、まずガイドに付いて博物館を一巡し、その後に幾つかの建造物の説明を受け、さらに自分で回りたい人はそこから自由行動が許されるという仕組みになっている。原則的には、ふらっと行ってすぐに自由に回るということは出来ず、事前に旅行代理店やＷＥＢサイトを通じて予約をしなければならない。

アウシュビッツ強制収容所の門にある「働けば自由になる」の文字

このアウシュビッツのガイドの制度は秀逸で、日本も見習うべき点が多い。まず、ガイドが公式な国家資格となっており、試験を通過しないとこの業務に就けない。試験制度によって、知識のボトムが統一されているため、ガイドによって訪問者が得られる基礎的な情報に差異が出ないようになっている。

まずはガイドに従って博物館や各建造物を見ていくことになるが、ガイドは自分の意見を押し付けるということはもちろんしないし、更には様々な展示物やアウシュビッツ・サバイバー（生存

アウシュビッツ第二収容所（ビルケナウ）の象徴とも言える鉄道の引き込み線

者）の談話を多面的に引用しつつ、悲劇の全体像を明らかにしようとする。そして、最終的な解釈は、必ず見学者自身に委ねるよう導いてくれる。

　展示コンテンツは多岐にわたり、いわゆる「囚人」たちが使用していた食器や拷問に使われた用具も公開されている。また、興味深いのは、ユダヤ人でありながらナチスへの協力者となった「カポ」という一種裏切り者的な存在も紹介されており、被害者にとって都合の悪い情報も隠されてはいない。被害者の側にもある意味でグロテスクな構造があることを描き出している点は、戦争の被害者を清く美しく描いてしまう日本型の戦争展示とは大きなコントラストを為している。

続けて見ていくと、ユダヤ人虐殺が決してナチスとユダヤ人の二項対立だけで生じているわけではないこともわかってくる。ヨーロッパの政治家や学者たちが、ユダヤ人問題に冷淡とも言える無関心な態度を取っていた間に、ヒトラーの権力は伸長し、ナチスは自由社会全体の敵にまで肥大化してしまった。またポーランドの一般市民についても、第二次世界大戦が始まるまでは隣国ドイツでの不穏な動きに対して、まさに「対岸の火事」のように眺めていたところ、ある日突然にドイツ軍の進駐を受けるという憂き目にあってしまった。さらにナチス占領地では多数の障害者や同性愛者が、ヒトラーの優生思想に基づいて殺されていたし、ロマ*と呼ばれる当時は流浪の少数民族が風紀上の観点からやはり虐殺された。アウシュビッツの悲劇は、ある日突然出来上がったのではなく、ヨーロッパに長期間に渡って存在した「ざわめき」に人々が耳を閉ざし続けた結果として出現したとも考えられる。

＊ロマ：ヨーロッパを中心に、南北アメリカなど、世界各国で生活する少数民族。

こうした悲劇の多面的な描き方は、日本におけるダークツーリズム関連施設を考える際にも有益な示唆を与える。例えば、長崎原爆の爆心地近くには、長崎刑務所浦上刑務支所があり、そこでは中国人捕虜や主として経済犯罪に手を染めた朝鮮からの移民が数多く収容されていた。彼らもまた一瞬にして原爆の犠牲になったにもかかわらず、この話は現地ではあまり強調されてこなかった。日本の「被害」を前面に打ち出したタイプの戦争博物館と、アウシュビッツの博物館の展示は、あまりにもトーンが違うことに驚きや違和感を覚えるかもしれない。また、原爆関係の資料館では被爆者、そして災害復興にまつわる博物館では被災者の声が重視されているが、こうした直接の被害者のコンテンツに重きをおいてしまうと、悲劇の全体像を把握しにくくなることもわかる。日本でも、直接の当事者以外の医師や看護師、公務員、学校の教師、警察官等の様々なステークホルダーの声を集め、被爆地なり被災地なりに生まれた悲劇の総体を描き出すことの意味や方法論を考えても良いかもしれない。さらに、被災地では、被災者である語り部がガイドを兼務するケースが多いが、状況を客観的に説明し、解釈（インター

爆心地近くには長崎刑務所浦上刑務支所があり、中国人及び朝鮮人受刑者も収容されていた

プリテーション）を与えるガイドと、悲劇を実際に体験し、主観的にその記憶を語る被災者の語り部は、役割も機能も異なっているはずである。社会が教訓を抽象的にモデル化して理解した上で後世に受け継いでいくために、アウシュビッツの活動は世界に重要なメッセージを投げかけている。

アウシュビッツが抱える苦悩

さて、前節ではアウシュビッツにおけるダークツーリズムが持つある種の先駆性を説明しているが、この施設に悩みや問題がないわけではない。昨今、日本においても沖縄の戦跡や広島・長崎の原爆関連施設を訪問した若者たちが非礼な態度を取ることが問題視されている。実は同種の問題がアウシュビッツに関しても生じている。

１章でも述べたとおりであるが、現在、ダークツーリズムは世界中である種の大ブームとなっており、この種の旅を楽しむ者は増えている。その理由は、精神面では１９９１年のソ連崩壊や２００１年に米国で起きた同時多発テロなど、旧来の価値体系の瓦解に伴って、人々が過去の悲劇を見つめ直そうとする気運が出てきたからではないかと考えられている。テクニカルな視点からは、まさに前述のソ連崩壊に伴って、旧東欧圏にアクセスし

アウシュビッツ・ビルケナウ博物館
総訪問者数の推移（2001年～2019年）

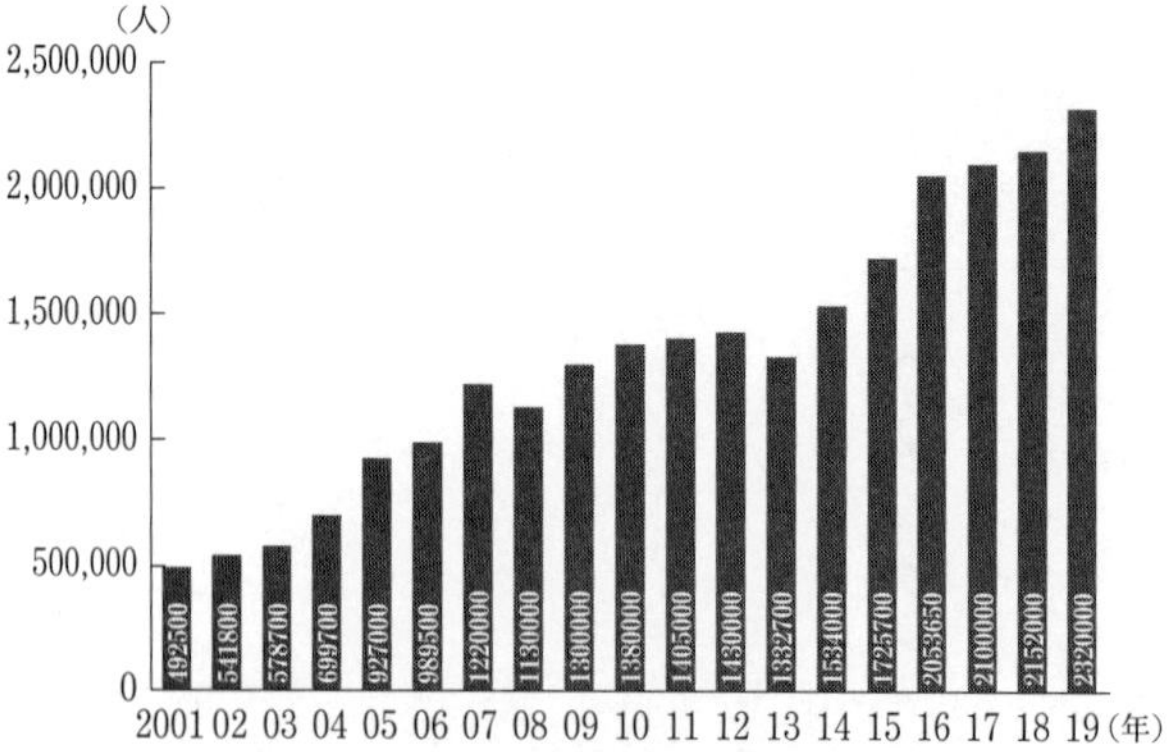

出典：アウシュビッツ・ビルケナウ博物館「レポート2019」より

やすくなり、そこでは物価も安いため多くのツーリストを惹きつけることになったと説明される。さらに、航空運賃の安いLCC（ローコストキャリア）の増加やインターネットの発達によって、これまであまり情報がなかった場所への移動が簡単になったことも大きな要因であろう。こうした背景が相まって、アウシュビッツへの来訪者はここ15年で3・5倍ほどに増加した。現行のアウシュビッツの見学がガイドツアーをベースにしたものになったのも、「混雑」が要因であったようで、以前はここまでは管理されていなかった。

　当然のことながら、多数の訪問者の中には不謹慎で不心得な輩もいるわけで、世界遺産だからということで慰霊や悼みの気持ちを特に持たずにやってきて、あまり真剣に話も聞かず、酷いのになると出土した遺物を持って帰ってしまうというケースも報告されている。まさに、マスツーリズム（大衆観光）化した悲劇の現場をどうマネジメントするのかという論点は、現代のダークツーリズム関連施設が共通して持つ悩みでもある。

クラクフに戻る

さて、アウシュビッツ見学にあたっては、美しい世界遺産都市であるクラクフが起点となる。クラクフは、１９７８年の第一次の世界遺産登録に選ばれているので、「最も古い世界遺産」という言い方も出来るかもしれない。この街は、第二次世界大戦勃発時のナチスの進駐に際して、大掛かりな市街戦が行われず、その後も終戦まで大規模な空襲がなかったために、中世の雰囲気がそのまま残る美しい街である。そしてこれまた世界遺産として名高い*ヴィエリチカ岩塩坑にもほど近く、ポーランドへの旅行者はアウシュビッツへの訪問を含めてここで2、３泊することが多い。

＊ヴィエリチカ岩塩坑（世界遺産登録上の名称は「ヴィエリチカとボフニアの王立岩塩坑」）：クラクフの南東約15キロにある街ヴィエリチカ、その地下に岩塩坑がある。深さ約

300メートル、全長300キロメートル以上に及ぶ岩塩鉱山。岩塩で出来た聖キンガ礼拝堂、塩の結晶で作られたシャンデリアが見事。

クラクフについては、世界遺産登録の際に、直接に街の暗部が論点になったわけではない。ただ歴史の長い街であれば、ロンドンであれ、パリであれ、そして京都であっても不可避的に重い歴史を背負うこととなる。

ポーランドの首都はワルシャワであるが、こちらはナチスの侵攻に対して徹底的な抵抗を行った結果、街が壊滅してしまった。ワルシャワも都市として世界遺産登録されているものの、こちらは歴史地区を資料に基づいて正確に再現させた点が高く評価されている。一方、クラクフの当時の市長はナチス軍を前にして、占領をそのまま受け入れざるを得なかったが、結果的に美しい街が残った。もちろんどちらが良いとか悪いとか言った話ではない。それぞれの都市の意思決定者たちは、悩みに悩み抜いてそのオプションを選んでいるはずである。旅人である我々は、その決断に思いを馳せながら、世界遺産の都市を歩いていくことになる。

クラクフの駅から世界遺産の歴史地区エリアには歩いてすぐである。歴史のあるヨーロッパの都市は、外敵から守りを固めるために環状に城壁を築くことが多く、その外周が大規模な自動車向けの道路になっていたり、かつての城門の近くに駅を設置していたりして、中世と近代が妙にマッチしていることがままある。ここも駅から徒歩で大きな城門をくぐって、世界遺産地区に入ることとなる。この城壁がモンゴルからキリスト教の信仰を守ったという観光客向けの看板を見て、数十年前に自分が世界史の教科書で眺めた「モンゴル帝国の領土」の地図がなんとなく思い起こされ、その大きさに今さらながら感嘆もする。筆者は、これまで日本、韓国、ベトナム、シリア等で「モンゴルとの戦い」の跡を見てきた。ヨーロッパでも、アジアでも、そしてイスラム圏でも、モンゴルという一つの民族が、同じ時期に広大な範囲で起こした戦いの歴史に出会うというのは味わい深いものがある。

モンゴルの襲来に備えたダマスカスの壁

旧市街には、伝統ある名門校ヤゲロー（現地語ヤギェウォ）大学の関連史跡がある。中世に起源を持つ大学は、教会の付属神学校としてつくられることが多いのであるが、こちらは14世紀に名君として知られる*カジミェシュ3世が設置した王立の学校である。*コペルニクスから始まり、20世紀には*ヨハネ・パウロ2世が学んだほどの大学であるとともに、ダークツーリズムの観点からも外せない訪問地であるといえる。

*カジミェシュ3世：ピアスト王朝最後のポーランド国王。在位1333〜1370年。

*コペルニクス：1473〜1543年。地動説の提唱者として知られるポーランドの天文学者。

*ヨハネ・パウロ2世：1920〜2005年。第264代ローマ教皇。

ナチスはポーランドに侵攻した直後の段階で、この大学の教授たちの中から政治犯をまさにでっち上げ、処刑場に追い込んだ。先述のヨハネ・パウロ2世は、若かりし頃、在学中の大学が崩壊していく状況を目の当たりにしており、元教皇のヒューマニズムの源にこの事件が影響しているのではないかと想いを巡らせる。

ナチスによる占領の第一段階として、インテリ層を捕縛するのは、被統治民から言葉を奪うという意味で非常に有用であった。先述のアウシュビッツとの関係性であるが、収容所が、当初はこうした政治犯に対処するために利用されていたことはあまり知られていない。その後、ドイツの占領地内で爆発的に膨れ上がったユダヤ人の「囚人」問題を最終的に解決するための場所として、アウシュビッツと近接するビルケナウが整備されていったのである。数百人を処刑していた施設が、程なくして１００万人を超える虐殺の現場に変化していく過程は、ヨーロッパにおける第二次世界大戦を別の観点から考える上でも知っておきたい。

シンドラーの工場と旧ユダヤ人ゲットー

クラクフの市街地から、バスに乗って少し街外れに行くと映画『シンドラーのリスト』*で登場した工場がある。映画では、オスカー・シンドラーがユダヤ人達をドイツ向けの軍需工場で雇うことで命を救ったというストーリーが掲げられているが、その工場は近年博物館に改装された。

＊『シンドラーのリスト』：スティーブン・スピルバーグ監督。ナチスによるユダヤ人虐殺から多くの命を救った実在のドイツ人実業家オスカー・シンドラーを描いた作品。第66回アカデミー賞で7部門を受賞。１９９３年製作。

その展示の中には、クラクフにおけるユダヤ人迫害の歴史も取り上げられている。当初は買い物の制限程度の迫害から始まり、続いて公共交通の利用の禁止に広がり、その後は地域経済から切り離されたために稼ぐ手段が無くなってしまった結果、最後は身ぐるみを剝がされアウシュビッツにつながっていく展示のコンテクストは、差別から殺戮までのリアルを見せつけられるような気持ちになり、アウシュビッツ博物館とはまた別の恐怖を覚えた。

この工場跡地の近くには、労働力となったユダヤ人の居住区があった。第二次大戦中のナチスの迫害によって彼らはその場所を追われ、近年まで荒廃したままであったが、昨今はアートの力によって地区のプレゼンスが劇的に向上しつつある。先程の博物館の隣には現代アートの美術館も作られている。クラクフ市当局は、他にもアート関連施設を旧ユダヤ人地区及び周辺に展開したため、若いアーティストがここに集まり、芸術文化活動が促進されることとなった。

アートの持つ潜在的な力として、旧来の社会システムを打ち壊し、新しい価値を生み出していくことが挙げられるが、まさにこの若いアーティストたちの力によって、かつての被差別の地は先進的な芸術文化村に生まれ変わったのである。今や同地域には、カフェやレストランといった若者たちの集う場所も多く見られるようになった。

こうしたアートによる差別意識の破壊は、日本にも影響を与えている。例えば、横浜市黄金町は、以前は性風俗産業のイメージが強かったが、近年若手のアーティストの作品を街並みに溶け込ませることで、エリア・イノベーションを実現した。また、京都市の崇仁《すうじん》地区は、被差別の地域としていわれなき誹謗に苦しめられてきたが、京都市立芸術大学が移転することによって、やはりアートの力で地域の再生を図ろうとしており、芸術文化を用いた新たな街づくりが進行中である。クラクフの成功事例は、日本を始めとして世界中の都市問題の解決に有益な示唆を与える。

ただし、いい面ばかりがあるわけではない。アートによる都市再生が成功した地域では一方でジェントリフィケーション*と呼ばれる地価の高騰が起こり、元々そこに住んでいた社会的弱者が転出を余儀なくされるケースも報告されている。アートによって街の魅力が高まり、それによって地域の価値が創造されることは素晴らしいことではあるが、既存の弱者を排除しないインクルーシブな街づくりが今後は期待されることになる。

＊ジェントリフィケーション：都市の富裕化現象のこと。「高級化」や「階級浄化」と訳される。

旅の終わりに

ダークツーリズムの視点から世界遺産を旅するという本書の始まりとして、まずは世界で最も著名なダークツーリズムポイントと言えるアウシュビッツとその近隣の都市であるクラクフを取り上げた。アウシュビッツはまさにダークツーリズムという概念の核心そのものであるが、クラクフについては「ダークツーリズムの視点からはこう解釈できる」という旅の新しい可能性を提示してみた。旅の目的地への接近の手法は旅人によりまちまちで、大阪を訪問した人がお笑いの面白さに目覚めることもあれば、お好み焼きを始めとするB級グルメに魅力を感じることもあるであろう。方法論としてのダークツーリズムは、地域が持つ様々なアイデンティティに影から接近しようとする試みであり、それは従来の観光とはまた違った街の姿を映し出してくれる。

日本の場合、広島・長崎の被爆地、東日本大震災を始めとする自然災害の傷跡、水俣に典型的に見られる公害など、様々な悲劇の記憶を有しているが、これを単に「悲しみ」に留めてしまうことは、日本の持つ可能性を閉ざしてしまうことになるかもしれない。こうした悲劇の記憶を、大切な地域資源として生まれ変わらせる方法論の一つがダークツーリズムであり、ダークツーリズムは地域イノベーションをもたらす起爆剤になりうる。次章以降も皆さんと世界遺産を巡るダークツーリズムを楽しみながら、この旅の新しい可能性を共有してみたい。

第3章　産業遺産の光と影

２０１５年、長崎県の端島（いわゆる〝軍艦島〟*）や福岡県から熊本県にかけての三池炭鉱*などが「明治日本の産業革命遺産　製鉄・製鋼、造船、石炭産業（以下、「明治日本の産業革命遺産」と略す）」として世界文化遺産に登録された。産業遺産とは、人間の経済活動の所産を伝える遺物や遺跡のことで、これまでに世界遺産として登録されたものを見てみると、その地域の記憶として大切にされ、該当国からユネスコに推薦された例が多くある。

＊軍艦島：長崎港の南西約19キロメートルに浮かぶ島。面積６・３ヘクタール、外観が軍艦に似ているためこう呼ばれる。海底炭鉱の採掘地として栄え、太平洋戦争時はもちろん、１９７４年に閉山するまで戦後の高度経済成長に貢献した。

＊三池炭鉱：福岡県大牟田市と熊本県荒尾市にまたがる炭鉱。１９９７年閉山。

ただし、産業遺産を世界遺産化する場合、日本のように「輝かしい歴史」として刻まれるだけではなく、そこには悲しみの記憶もまた漂う。近代の産業社会においては、植民地支配と厳しい労働、環境破壊や健康被害、そして大規模な事故など、資本主義の影の側面は不可避的に存在する。そして産業遺産にはこうした近代の悲しみが集積している。

本章では、「明治日本の産業革命遺産」の考察から始め、日本のみならず海外とも比較しつつ、産業社会に関する記憶の承継のあり方を考えてみたい。

「明治日本の産業革命遺産」とは何か？

九州及び山口県を中心として、近代産業社会に関係する遺構を世界遺産化しようとする動きは１９９０年代からかなり長きにわたって続いていた。幾つか例を見てみよう。

例えば軍艦島は、三菱の炭鉱事業からの撤退後、不法に現地に渡る輩が後を絶たず、一時期は「廃墟本」のブームもあって、荒らされることも多かった。かつて島民だった人々の間には複雑な思いで島を眺める人もおり、往時の軍艦島の勇姿を世界遺産なる制度を用いて次世代に受け継ぎたいという思いが浮かび上がってきた。

また、荒尾・大牟田の三井三池炭鉱があった地域は、石炭から石油に主役が交代したエネルギー革命の後、街の経済が斜陽化し、過疎化は平成に入っても続いていた。そうした状況下で、産業遺産としての各施設は住民の心のよりどころとなっており、万田坑や宮原坑といった地元のシンボル的な構造物を地域の連帯の柱にできないかと考える人々も多かった。

こうした地域情勢を背景として、２０００年代から地元の市民団体を軸とした緩やかなネットワークができ、これが九州の知事たちを動かすことになる。九州各県では、世界遺産化のための具体的な作業を詰め、文化庁と折衝を重ねた。

事態が急転したのは、第二次安倍内閣に入ってからである。世界文化遺産の案件である以上、それまで文化庁の仕事として行われていた「九州・山口の近代化産業遺産群」は、内閣官房の直轄案件になった。これにより、５章で述べる長崎の教会群と推薦の順序が入れ替わった。対象エリアも幅広く採られることになり、静岡県韮山*の反射炉や岩手県釜石の橋野鉄鉱山*など、九州・山口以外からもリストに加えられた。また、時代区分はかなり限定され、「明治」という言葉が明確に冠された。そして、世界遺産としての構成資産も山口県の「松下村塾*」といった、およそ直接産業遺産とは言い難く、またこの運動が始まった当時はまったく想定されていなかったものも入ることとなった。要するに、運動の初期とはかなり変容した形で世界遺産登録が実現されたことになる。

*韮山の反射炉：静岡県伊豆の国市にある反射炉跡。江戸時代末期の築造で、稼働した反射炉として現存する国内唯一の施設。

*橋野鉄鉱山：釜石市橋野町で１９５０年代後半に発掘された高炉跡や鉄鉱石の採掘場跡、運

搬路などで構成される鉄鉱山と製鉄所の総称。

＊松下村塾：幕末期に長門国萩の松本村にあった私塾。吉田松陰が塾頭を務め、塾生には長州藩の俊英が集結した。

世界遺産の松下村塾。さすがにこれを産業遺産と呼ぶのは無理があるのではないか

写真に示した松下村塾は、ここで学んだ若者たちが産業革命を起こしたという趣旨で登録されているのだが、単にかつて「塾」として使われていた木造建造物を「産業遺産」と言い切るのはかなり無理があるように思う。ここからも、当該案件の世界遺産登録にはある種の「歪《ひず》み」があったことを推し量ってほしい。

さて各構成資産を説明する施設では、明治の日本が短期間で近代化を成し遂げ、高度な産業社会を実現したことが栄光の文脈で語られている。果たして、この構図は「遺産」としての価値を適切に表しているであろうか。

韓国からのクレーム

日本の世界遺産登録に向けた動きに対して、最後まで反対の主張を続けたのは隣国である韓国であった。韓国は、構成資産の中に、前述の軍艦島や三池炭鉱を始めとして、いわゆる植民地時代の「強制労働」がなされた施設があることから、登録に関して強硬な姿勢を取り続けた。日本側は、世界遺産の登録の対象を「明治日本」と明示し、１９１０年の韓国併合以前の時期に限定することで、韓国の指摘をかわそうとする狙いがあったと推察される。ただ、そうは言っても、実際に過酷な労働に従事させられた側としては、問題に正面から向き合うこと無くそうした施設が世界遺産登録を目指すという姿勢自体、得心がいくことではないであろう。

世界遺産登録を審議する場であるイコモスでは、日韓の対立に関して強くは介入しなかったが、両国での話し合いを促し続けた。結局のところ「強制労働」に関しては、“forced to work”という表現に落ち着き、「強制労働」について説明するための情報センターを日本側が用意することで決着を見た。外交上の妥結を見た際には、この情報センターは各産業遺産に付随して設置されると思われていたが、その後の日本政府の方針では東京に造られることとなり、韓国側はさらに反発を強めた。

たしかに、どこにするのかという点での合意はなかったが、長崎の軍艦島の説明資料は、現場で見ないと訪問者への教化という点では意味を成さないので、日本政府としては現地で自説をしっかりと説明する方針を取るべきではないかと考える。続いて、2019年末の「後続措置に関する履行経過報告書」においても、韓国政府の求める記述は盛り込まれず、今後も日韓の対立は予断を許さないと言える。

イコモスが、積極的に仲裁に入らなかった理由はいくつか考えられるのだが、国際社会における21世紀の一般論として、「どこの国の産業遺産でも、当然、負の側面はあるよね」という共通認識があることは押さえておきたい。

筆者はこれまで、数多くの産業遺産を訪れてきたし、その中には世界遺産登録されたものもあった。ただ、欧米の価値観として、共通して見えることは、近代資本主義社会や産業革命といった概念が、決してバラ色のものとして捉えられていないことは注意しておいて良いであろう。

この登録の対象を1910年までに限るという施策は、世界遺産の構成要素に関してもある意味で誤解を生み出している。というのも、軍艦島は既述した通り、もともとは昭和

軍艦島。ただし世界遺産を構成している護岸と坑道はこのアングルからは見えない

の島民たちの願いで世界遺産登録運動を始めたところ、日本政府の方針で１９１０年までの構造物しか世界遺産登録の対象にできなくなったため、我々が絵葉書等で知っている「あの軍艦島」は、まったくもって世界遺産の対象ではないのである。

実は、世界遺産として登録されている軍艦島の構造物は、明治期に造られた島の裏側の護岸と地下坑道３本だけであり、これは通常の上陸では見ることが難しい。にもかかわらず、昭和の建造物を前面に出して「世界遺産の軍艦島」を喧伝するのは、穿《うが》った見方をすればそれ自体真実を隠蔽していることになりはしないだろうか。こうした断絶は、軍艦島の歴史を正しく伝えているとは言えず、政府が政策的に世界遺産の登録対象を１９１０年で切ってしまったことは、問題をより複雑化させている。

　明治の産業革命期も、徴用工が働いた時代も、そして戦後の高度成長期から閉山まですべてが軍艦島の歴史であり、その核心的かつ普遍的価値と考えるべきであろう。

近代の始まりと欧米における産業遺産

　市民革命後の欧米では、多くのギルド的な規制が廃止され、商売が自由にできるようになったため、産業社会が急速に発展した。とりわけ、イギリスは他国に先駆け、資本主義のトップランナーとなった。18世紀には、様々な先進技術が発明され、同世紀後半には機械式の工場生産が製造業の主流となっていった。その結果として、イギリスには様々な社会の矛盾が生まれた。

　定型化された工場労働では、各労働者は替えの利く道具のような存在であり、低賃金で過酷な長時間労働にさらされることになった。子供や女性も、こうした過酷な労働環境の中で酷使されることになった。この時期、下層労働者たちが居住した地域が、ロンドンのいわゆるイーストと呼ばれる地域であり、現在では移民や若いアーティストたちが主に暮らしている。産業革命の時代、女子労働者たちの中には、仕事にあぶれると夜鷹のように売春をしていた者がいたし、鬱憤を抱えた人々はジンなどの安酒で気持ちを紛らわせた。若干余談に踏み込むと、近代観光産業はこうした酔っぱらいを減らすために、*トーマス・クックが鉄道を用いた安価な大衆旅行をビジネスモデル化し、労働者に提供したことが起源であるとされる。労働者がリフレッシュされ、生産性も上がったため、旅行業が成立したという経緯がある。

*トーマス・クック：世界最初の旅行会社と言われた英国の大手旅行会社の創設者であり、彼の名がそのまま社名となった。企業グループは２０１９年に破綻。

さて話を本筋に戻そう。退廃した性道徳と飲酒癖のある労働者で溢れたロンドンでは、当然治安も悪くなる。社会保障が薄かった当時は、「今晩の寝床がない」とか「今日食べるものがない」などの理由で、パンを盗んだり、詐欺を働いたりする者も多かった。

イギリス政府はこうした微罪に対しても厳罰主義で臨み、「パンを一斤盗んだ」などの軽微な窃盗に対しても、何のためらいもなく「懲役10年」といった重い刑を科していた。

ヨーロッパの人々は、近代産業社会がこうした闇の中に存在したことを知っているし、何より19世紀の半ばには、マルクス*がエンゲルスとの共著『共産党宣言』において、「一匹の妖怪がヨーロッパを徘徊している。共産主義という名の妖怪が」と述べたように、非常に不安定な社会であったということも自覚している。それ故、近代産業社会をバラ色に描くということはせず、やはり光と影の両面から対象に迫ることになる。

＊マルクス：1818〜1883年。ドイツの経済学者・哲学者。科学的社会主義の創始者。著書に『共産党宣言』『資本論』など。

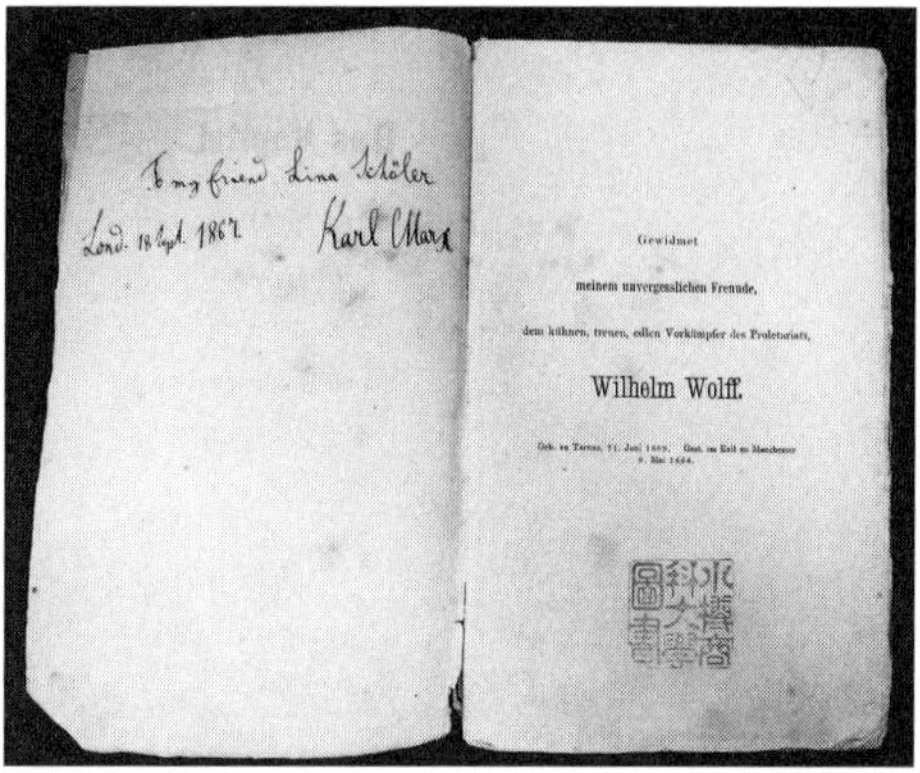

マルクス著『資本論』1巻副標題紙（小樽商科大学所蔵）

さて、イギリス社会を詳しく述べたのには理由があり、産業革命期の暗く不安定な社会が、世界遺産登録とつながっているからである。既述した「パンを盗んで懲役10年」の司法制度は、すぐに刑務施設のパンクを招き、イギリスは国外に流刑地を求めることになった。

世界遺産「オーストラリアの囚人遺跡群」を構成するコールマイン

オーストラリアが与える示唆

このイギリスが求めた流刑地がオーストラリアであり、現在に至るまで多くの刑務施設が遺構として残っている。オーストラリア政府は、特に文化的価値の高い11ヵ所を「オーストラリアの囚人遺跡群」として、世界遺産に推薦し、2010年に登録された。

シドニーの街のど真ん中にあるハイド・パーク・バラックスは、イギリスから流刑で送られてきた囚人たちが、オーストラリアに上陸するための最初の寄宿地となった館であり、オーストラリアという国家の出発点であるとも言える。より、産業遺産というイメージに近い施設として、タスマニアにあるコールマインとシドニー北部から北に260キロに渡ってつながるオールド・グレート・ノースロード、そしてシドニー湾に浮かぶコッカトゥー島を紹介したい。

　コールマインは、オーストラリア内の刑務施設でさらに悪事を働いた受刑者を収監するために造られたポート・アーサー刑務所近くに位置する産業遺構である。ポート・アーサーについては「厳格に刑を科す」というその設置の由来から「刑務所の中の刑務所」と呼ばれていたが、ポート・アーサーが造られた後、近隣で炭鉱（コールマイン）が発見され、その掘削のためにポート・アーサーから受刑態度の悪い囚人たちが送り込まれた。換言すれば、流刑地の中に重層的な懲罰があることがわかる。

オールド・グレート・ノースロード。歩きながら囚人労働の実態を学べるようになっている

　石炭は、近代産業にとって不可欠なエネルギー源であったことは普遍的な話であったし、世界中の炭鉱において労働者が劣悪な環境下で働かされていたこともまた確かである。コールマインの現地解説を読むと、ここではまさに「強制労働」が

「シドニービエンナーレ」の会場にもなったコッカトゥー島の工場跡

行われていたことが記されている。世界史の教科書の産業革命の項目で「ワットが蒸気機関を開発した」と一言で書いてあることでも、実際には石炭を掘る人が必要であり、そこには労働搾取が隠れているのである。

　次のオールド・グレート・ノースロードは、産業社会の動脈ともいえる道路工事の物語であり、ここにもまた多くの囚人労働力が投入された。興味深いのは、こちらの産業遺産については地元住民が囚人たちの名誉回復のための運動を行っているという点である。囚人というカテゴリーに分類された人々が、産業社会の基礎を築いたという歴史を地元の人々が受けとめ、その厳しい労働を顕彰しようという動きがある。しかも、その対象は総体としての囚人労働力ではなく、個人名を明確に刻んだ記念碑を建てつつ歴史の再構築を目指す姿勢は驚嘆に値する。

最後の例に挙げるコッカトゥー島もまた、囚人の収容所として造営されたものであるが、ここは特筆すべきことに造船所そのものを囚人たちが建設している。大型船は、まさに近代の国力の象徴であったが、それを支えたのもまた、近代化の中で社会からはじき出された人々であったことがパラドキシカルである。

こちらの造船所自体は、現在は廃墟化している。しかし、この島は、２０１８年、シドニービエンナーレではサテライト会場に指定され、重油やアルコールを用いたオブジェや艾未未《アイウエイウエイ》による難民の窮状を象徴した作品などが朽ち果てた造船所の中に展示されていた。つまり、環境破壊や民族問題といった近代が生み出した諸問題を、近代の象徴である造船所において再考しようという試みである。

これまで見てきたように、オーストラリアは産業遺産を通じて、近代の社会が抱える問題点を抉《えぐ》り出し、それと訪問者を対峙させようとしている。こうした視点は今の日本の文化財の捉え方には無い考え方である。

戦争と産業遺産

産業遺産の影の側面は、労働の問題だけではない。「総力戦」という言葉で表される二

世界遺産のビスカヤ橋

度の世界大戦は、産業社会と深く関わっている。鉄を作る技術は、戦闘機や軍艦の製造の基礎となったし、産業活動の元となる資源を求めて、各国は帝国主義的な政策を続けた。そして、より直接的な戦争の影響として、産業都市は直接空爆の対象となった。これについても少し例を見ておきたい。

スペイン北部の都市ビルバオは、現在でこそグッゲンハイム美術館や磯崎新設計の建造物などがあることから、観光都市であると思われているが、ここは20世紀の後半までは鉄鋼の街として知られていた。産業都市であるからこそ、１９３６年のスペイン内乱*の際にもフランコ側による空爆の対象となり、大きなダメージを負った。

＊スペイン内乱：１９３６年に左派の人民戦線内閣が成立したのに対し、軍が反乱を起こして生じた内戦。

＊フランコ：1892〜1975年。スペインの軍人、政治家。スペイン内乱の口火を切り、1939年、内乱の終結とともに独裁的権力を不動のものとし、36年間もの長きにわたり政権を維持し、終身国家元首となった。

スペイン内乱の被災地と言えば、ゲルニカ＊が有名であるが、ほんの隣町と言える程近いビルバオもまた猛攻に晒されたことを知っておきたい。世界遺産に登録されているビルバオのビスカヤ橋では、鉄鋼業が衰退し、町が凋落していく過程や、空襲によって産業都市が破壊される様子も余すところなく説明されており、ヨーロッパにおける産業遺産の捉え方を考える上で大変参考になる。

＊ゲルニカ：スペイン北部のバスク地方にある古い街。フランコ将軍を援助するナチス・ドイツ空軍の大編隊が無差別爆撃を加えた街として知られる。それをテーマにしたピカソの絵画『ゲルニカ』は有名。

再度、日本に戻って考える

翻って、我が国の「明治日本の産業革命遺産」を顧みた時、そこには栄光の文脈で各資産が語られ、近代産業社会が不可避的に有する影の部分への言及がないことに気づく。

影への言及が必要であることは、韓国からの外交的圧力によって顕在化したわけであるが、朝鮮半島出身者に辛い労働を課したことが、問題の全てではない。口入れ屋に騙されて不当な労働搾取に喘いだ話としては、与論島出身者が三池炭鉱で働かされたことも現地では知られている。また、同所の初期の稼働を支えたのは囚人労働であり、そこには深刻な人権侵害があった。さらに冒頭で言及した軍艦島では、納屋制度と呼ばれるタコ部屋的搾取システムが機能していた。

鉱山労働や工場労働は危険と隣り合わせでもある。軍艦島に近接する高島炭坑では、1906年に炭塵爆発事故が起き、300名以上の死者を出したことが知られているが、もちろんここに限らず労働災害は広汎に生じた。加えて、炭鉱労働者のじん肺訴訟は、多くの鉱山で争われることになり、後遺症に苦しむ患者が多く出た。

近代産業社会が生み出した社会的実在としては、労働組合の存在も忘れてはならない。戦後の三井三池炭鉱では、史上最大の労働争議が起こり、住民が所属する組合ごとに分断されるという状況が生じた。

韓国からのクレームがついた時に、日本社会は「反日と反韓」という反応を示してしまったために、本来もっとマクロ的に捉えるべき課題である近代産業社会の負の側面が、

「強制労働」の問題に矮小化されてしまったきらいがある。これは韓国側にとってみても不幸な話で、「強制労働」という言葉の解釈の問題に拘泥してしまうことは、帝国主義政策を採っていた頃の日本の全体像を摑むことをかえって難しくしてしまう。

実は、世界遺産に登録される以前は、冒頭で述べたように市民団体が地域の産業遺産の承継の役割を担っていたため、現地目線の自然な語りとして、ガイドや案内の中で朝鮮半島出身者への搾取の問題や、労働災害そして組合の論点に至るまで、地域の資産について多面的に言及されることが多かった。それが世界遺産登録前後から、徴用工も含めた朝鮮半島出身者の労働問題が政治課題となり、現地に右翼団体が押しかけるなどの示威行動も相まって、なかなか従来通りの解説が難しくなってしまったという嘆きは、複数の施設の関係者から耳にするところではある。

日本社会を貫く病理

果たして、世界遺産の登録対象を「明治」に限る必然性はあったのだろうか。産業社会のダイナミズムを感じるためには、産業施設の戦争との結合や戦後の衰退まで含めて登録対象にすべきであったろう。

富岡製糸場。繰糸所内部の様子（画像提供：富岡市）

本来、産業社会に影が存在するというテーゼは、アジアでいち早く近代化を成し遂げた我々だからこそ、「明治日本の産業革命遺産」が世界遺産登録される以前から主体的に受け止めるべきであったし、そのチャンスも何度かあった。

また仮に日本において産業遺産が必然的に有する影の部分を含めて世界遺産登録をしていたのであれば、来訪者は現地で近代に対する深い考察をせざるを得なくなる。その結果として、時代や地域を多面的に捉えるようになり、旅の意識が単なる物見遊山を超えた高度な思索につながる。

２０１４年には、群馬県の富岡製糸場が世界遺産登録されているが、その時、僅かではあるが、「労働環境はどうだったのか？」という疑念が湧いたこともあった。しかし、祝賀ムードの中でそういった質問をすること自体も憚《はばか》られるような雰囲気になってしまった。

結論から言えば、富岡製糸場に関しては、当初から官営の模範工場として稼働させたため、現在でいうところの「ブラック」、伝統的な用語で言えば「搾取」に相当する状況はあまり無かった。民間に譲渡された後も、他の工場労働と比べると概して待遇はよく、太平洋戦争末期に入るまではそうした処遇は維持された。戦時の労働環境の悪化は、ここに限った話ではなく、戦時経済の中で広く一般に見られた現象であるから、それをもってここをあげつらうのは当を失している。蛇足ながら付け加えると、しばしば*『あゝ野麦峠』などに登場する諏訪の製糸工場も、近代ヨーロッパにおいて観念される「搾取」とはかけ離れたものであるが、これについて述べることは字数の点でも、本書の趣旨からもそれるので、関心のある向きは拙著『ダークツーリズム　悲しみの記憶を巡る旅』をご覧頂きたい。

＊『あゝ野麦峠』：山本茂実の記録文学。山本薩夫監督による映画（１９７９年製作）が有名。明治から大正にかけて、岐阜県飛騨地方の娘たちが、野麦峠を越えて長野県の諏訪、岡谷の製糸工場に働きに行った。製糸工場の女工哀史。

さて、富岡製糸場が「ホワイト企業」だったとしても、近代国家と産業社会の関係性や当時の労働環境を俯瞰的に捉え、その中に問題点を見出すという営為はなし得たであろうが、世界遺産登録のお祭り騒ぎの中でそうした振り返りがなされることはなかった。「近代化」や「産業遺産」という言葉が、それだけでなんとなく良いイメージを持ってしまった直接の原因はここにあったと筆者は考えている。つまり、世界遺産は本来「顕著な普遍的価値」を有していることが登録の前提になるのだが、日本の場合、各々の世界遺産の長所については理解するものの、各施設が持つ価値の普遍性について、構造的に把握しようとするアプローチに乏しかったと言える。この点については、次節で、前近代の世界遺産である石見銀山を観ながらもう一度考えよう。

世界遺産　石見銀山

石見銀山は、島根県の大田市にあり、鎌倉時代末期にその存在が確認された。本格的な開発と稼働は戦国時代に入ってからの話となる。来訪者は石見銀山そのものを見に行く前に、まず「石見銀山世界遺産センター」を訪れ、基本的な知識を蓄えておこう。

島根県は、SNSによるビジターからの情報発信を奨励しているが、このセンターは私が訪問した2018年1月段階において、展示物の多くが写真撮影禁止であった。現在は大幅に緩和されたようで何よりであるが、未だに島根県の市町村管理の博物館には撮影禁止のところが多く、さらなる改善を望みたい。

センターでは、鉱山から産出された銀が近代初期（日本史の区分で言えば近世）の世界経済に大きな影響を与えた話や、鉱山労働に携わった人々とそれを支えた家族たちが仲睦まじく暮らしていた様子が巧みな映像技術を用いて説明されている。

石見銀山龍源寺間歩（坑道）の入り口

センターからは銀山観光の入口となる大森に車かバスで向かい、そこからは自転車を借りて旧坑道を目指すことになる。小一時間かけて坑道を見たら、通常は坑道とは逆方向に伸びた古い町並みを散策して小旅行は終わる。

この石見銀山の観光に関しては、「どこの鉱山跡にもある穴と同じではないか」とか「近年になってから整備された町の景観に価値があるのか」などという批判もあることは承知している。とは言うものの、鄙びた田舎の集落が世界遺産になった途端に、ピーク時には年間約80万人もの観光客が訪れる日本有数の観光地になったという事実を現地で確認しておくことは、「世界遺産とは何か？」ということを考える上でも重要な視座を得ることになる。実際、地方の首長が石見銀山を見た時、そこで感じる衝撃は「世界遺産としての文明が持つ崇高さ」に対してではなく、「世界遺産になれば、田舎でも観光客が来て賑わう」という極めて世俗的な現象に起因するのではないだろうか。

ダークツーリズムの立場からの関心は、この世界遺産に、いわゆる「負の要素」が展示されているのかという点であるが、これに関しては全くと言っていいほど触れられていない。この展示方針について考察してみよう。

いわゆる鉱山労働の場合、前近代においても鉱毒の論点はあったわけで、石見銀山に関しても学術書や学術論文では鉱毒への言及があり、「済生卑言」*なる対策が医師によってまとめられたという記述もある。鉱毒は、産業社会史的には後の足尾銅山*やイタイイタイ病に通じる一大トピックであるため、扱ってほしいテーマではある。

＊足尾銅山：栃木県の旧足尾町（現日光市）にあり、1610年に発見されたとされる。明治時代に近代化が進み、日本一の銅の生産を誇った。精錬により流出する鉱毒で広範囲に被害を及ぼした。

＊イタイイタイ病：１９５６～１９５７年をピークにして富山県、神通川流域に発生した公害病。三井金属鉱業神岡鉱業所の排水が引き起こしたカドミウムによる慢性中毒症。

さらに、労働関係については、脱走を試みる者や就業拒否者に関して、この地域では処刑場があったとの伝承があり、世界遺産に登録される以前は観光の用にも供されていた。現在は、跡形もなく整備されてしまい、痕跡を見つけることもできない。市指定文化財として、千人壺なる史跡があり、ここには、死罪となった盗人や放蕩者、病死者に加え、さらには身寄りのない遺体が投げ入れられたという言い伝えが残っている。確かに現在も見学可能ではあるが、観光マップ等には全く載っておらず、地元のガイドや観光関係の業者に聞かないとたどり着けない。世界遺産に登録される前は、このあたりは死者の霊がさまよう心霊スポットとして認識されることもあったと仄《そく》聞していたので、私自身は、千人壺の場所を尋ねたら嫌がられるのではないかという先入観があったが、意外なほどあっさりと場所を教えてもらえた。観光産業に直接携わる人にとっては、聞き慣れた質問であるのかもしれない。千人壺までは大森からも世界遺産センターからも30分以上歩くとのことで、真冬の夕方に現地を訪れた私は訪問を断念せざるを得なかったとはいえ、現存を確認できただけでも収穫と考えてよいであろう。

町並みの最後には、極めて研究水準の高い資料館があるものの、ここでも処刑場や千人壺への言及はされていなかった。処刑場については客観的な履歴がはっきりしないので、町歩きの場所から除去することも世界遺産である以上当然かもしれない。確かに、世界遺産の登録にあたっては、来歴のあやふやな史跡は拒否されるケースがある。ただし、千人壺に関する言及がないのは、この地域がいわゆる「負の歴史」とどう向き合うべきかまだ消化しきれていないのではないかという感慨を得るに至った。

それはここだけの話ではなく、「明治日本の産業革命遺産」においても、地域の影の部分を汲み取ることは十分にできていないのではないかと思う。

鉱山では過酷な労働に耐えかねて脱走するものが後を絶たないため、見せしめの装置としての処刑場は洋の東西を問わずに出現する。「オーストラリアの囚人遺跡群」で紹介した、オールド・グレート・ノースロードにも、「絞首刑台」と呼ばれる史跡がある。これについては現在では伝説にすぎないという見方が有力であるものの、かつてそこに過酷な労働があり、それ故、絞首刑の伝説が生まれたことは、地元の文化的記憶として来訪者に隠すこと無く見せている。なるほど、確かに処刑場の場所は確定できていなくとも、ある種の残虐行為は確実にあったわけであり、当該史跡は「労働者達はそのような過酷な状況にあった」ということを後世に伝えるための社会的使命を果たしていると言って良い。どうも伝説や伝承も含めての地域文化という認識のようだ。

現在、石見銀山の入り込み客数がピーク時の年間80万人超から30万人程度まで落ち込んでいるのは、光の歴史のみで地域を見せている一種の「虚構性」にも原因があるのではないだろうか。あらゆる地域は光と影の両面を持つ。それ故に、その影もまた来訪者に見せることで、彼らは地域の真実に接近することができる。そこには作り物ではない旅の感動があり、リピーターを生み出す原動力となるかもしれない。

記憶遺産「山本作兵衛」との結合の可能性

ここまで、世界遺産に登録された日本の産業遺産に関して、その「影」の見せ方という観点から批判的に検証してきたわけであるが、では具体的にどのように訪問者を招き入れればよいのだろうか。

ユネスコの「遺産」と言えば通常は、世界遺産を思い出しがちであるが、１章で述べた通り、「世界の記憶（いわゆる世界記憶遺産。以下、「記憶遺産」と記す）」も重要な役割を担っている。

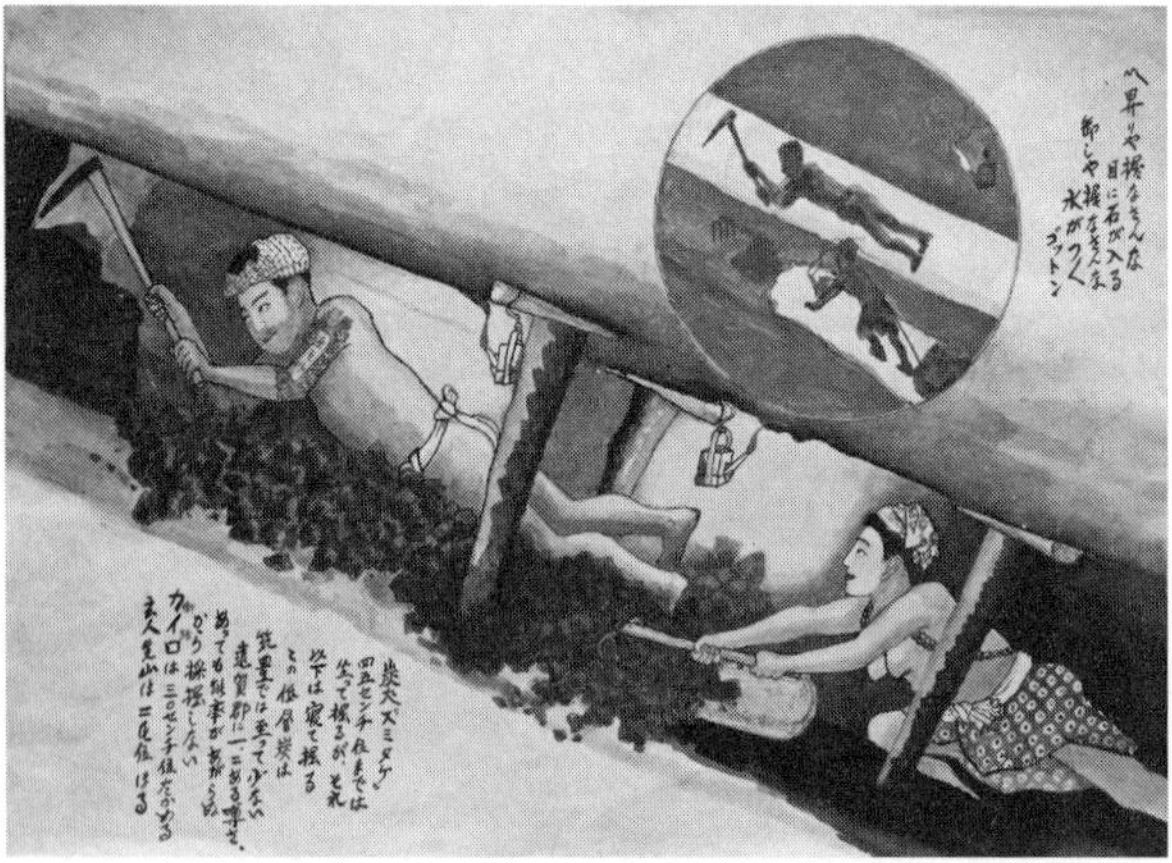

山本作兵衛の炭坑記録画より『寝掘り』（©Yamamoto Family 田川市石炭・歴史博物館所蔵）

この記憶遺産の日本登録第一号は2011年になされ、その対象は山本作兵衛という正規の美術教育を受けていない炭坑夫が描いたいわば「アウトサイダーアート」であった。彼の作品がユネスコ関係者の目に止まったのは、もともと筑豊地域で進んでいた産業遺産の世界遺産登録への動きの中で、付随的に紹介されたのがきっかけであった。

　当該作品群は、炭坑労働の厳しさとある種の切なさを当事者の視点から描いており、海外の文化人から高い評価を受けた。実際、記憶遺産に登録されるまで、彼の名前も記憶遺産という仕組みも、日本人にはほとんど知られていなかったと言って良い。彼が働き、悲しみの記憶の題材に採った筑豊の炭鉱は、世界遺産登録からは漏れてしまったけれども、紛れもなく近代を作り出した産業遺産の一つである。

「明治日本の産業革命遺産」という世界遺産は、地元の活動との乖離があったことは既に述べた。言い換えると、国家の見地から明治期の産業遺産を眺めたに過ぎない。

しかし、山本作兵衛の画は、虐げられた労働者の視点から描かれたものであると同時に、まだ炭鉱にマルキシズムが入ってくる以前の、素朴な労働者の切なさがある。今後、産業遺産の展示にあたっては、山本作兵衛が描くタイプの、当事者となる庶民から見た悲しさを栄光の文脈に結合させることが有用であろう。なぜなら、光と影の両面を見せることで、対象の時代と概念をより多面的に掘り下げることができる上に、そこには作り物ではない真実性が浮かび上がるからである。日本各地の産業遺産は、名もなき弱者の視点を取り入れることで、コントラストとしてのその光がより輝くようになるのではないだろうか。

第4章　ダークツーリズムで巡る島

「島」とは不思議な存在である。実は学問上、「水で囲まれている」という属性以外に島の定義はない。島というとそれほどの大きさはないように思われるが、グリーンランドもマダガスカルも一般に島に分類され、前者は日本列島の面積の約6倍、後者も約1・5倍強はある。インドネシアを一部構成するニューギニア、ボルネオ、スマトラはいずれも日本の全土より大きな島であり、世界的認識からすれば本州も島になるはずであるが、実際本州に居住している私にしても、自分の住んでいる場所が島であるという意識はあまりない。日本の島の数にしても、定義する組織によって異なり、現在は便宜上、海上保安庁の見解に従って6852ということになっているが、これとて時代と共に変遷があった。要するに島とは相対的な概念なのである。

　現代でこそ、飛行機や高速船によって輸送が円滑になり、ついには橋やトンネルによって「本土」と直結されることで、他の陸地と隔絶されているという島の特性は失われつつあるが、この島と呼ばれる陸地は、歴史上さまざまな役割を果たしてきた。

　本土と離れているため来襲する外敵に備えて防衛機能を集中させたり、人の出入りが管理しやすいため邪魔になった罪人や政治犯を送り込んだり、さらには伝染病の本土への流入を止めるための防疫機能を負わせるなど、その地理的属性を本土の権力側はかなり都合よく利用し、島はそれに翻弄されてきた。本書で見てきた産業遺産などと同様、島もまた悲しみが集積する場所と言える。

本章では島をテーマに、悲しみの記憶をたどる旅である「ダークツーリズム」を考える。

刑務施設としての島

島がいわゆる「刑務所」として使われていたことは洋の東西を問わない。日本においても、江戸時代に伊豆大島・三宅島・八丈島などが流刑地であったことをご存知の向きは多いであろうし、鎌倉時代には後鳥羽上皇が隠岐の島に流されている。オーストラリアは、現在の国連の区分では大陸ということになっているが、これも便宜上の区分であって、かつて宗主国であったイギリス本国は、海によって隔絶された流刑地としてこの地を開発した。日本語では流刑地に送られることを、「島流し」という言葉でしばしば表現するが、イギリスの場合は本国が小さな島で、流刑先が巨大な大陸レベルの島というのはどこかパラドキシカルでもある。

島に送ってさえしまえば、四方が海で囲まれるので囚人の管理は極端に楽になる。かくして国家権力は、凶悪犯や政治犯を好んで孤島の刑務所に送り込んだ。反アパルトヘイト闘争の父として知られる元南アフリカ大統領*ネルソン・マンデラは、27年間の獄中生活のうち18年間を*ロベン島の監獄で過ごすことになった。南アフリカ共和国政府は、アパルトヘイト政策を廃止した後、同国における世界遺産登録のための推薦にあたって、ロベン島について最も初期の段階から検討し、こちらの島は世界文化遺産となった。アパルトヘイトは、紛れもない同国の影の歴史であり、それを世界遺産の形で後世に伝えようとする姿勢には、もう二度と差別の時代には戻らないという強い決意を感じる。

ネルソン・マンデラも収監された世界遺産ロベン島（写真：大竹進／PIXTA）

＊ネルソン・マンデラ：1918～2013年。南アフリカ共和国の政治家、法律家、黒人解放運動指導者。大統領の在任は1994～1999年。

＊ロベン島の監獄：ケープタウンの沖合にある小島。17世紀から流刑地として使われ、20世紀後半にはアパルトヘイトに抵抗した有色人種の収容所として使用された。

さて、３章では「産業遺産」として紹介した「オーストラリアの囚人遺跡群」についても、本来の役割である「刑務施設」の観点から再度考察してみたい。オーストラリアの囚人遺跡群は、11の構成要素から成り立ち、そのうち３つはタスマニア島にある。

もともとイギリスの流刑地として開発されたオーストラリアであるが、島嶼部のタスマニアにおいては自然の地形を活用し、「脱獄不可能」と言われた刑務所が建設された。これがいわゆるポート・アーサー刑務所であり、現在は多くの観光客が訪れる。

上空から形を見てみると、放射形状をしており、これは功利主義の哲学者[*]ジェレミー・ベンサムの「最大多数の最大幸福」という思想概念を具現化したものだと解釈されている。パノプティコンと呼ばれるこの近代の刑務所の形体は、扇の要の部分に監視者を置き、非常に少ない人数で刑務所の管理を可能にした。これは、功利主義的な意味からは、非常に効率的に管理ができるので、確かに「最大多数の最大幸福」ということになる。

＊ジェレミー・ベンサム：１７４８～１８３２年。イギリスの法学者、哲学者、経済学者。最初の著書『政府論断片』で功利主義の基礎を築いた。

19世紀の後半に入ると、この地の刑務所としての役割は小さくなり、１８７７年にはそ

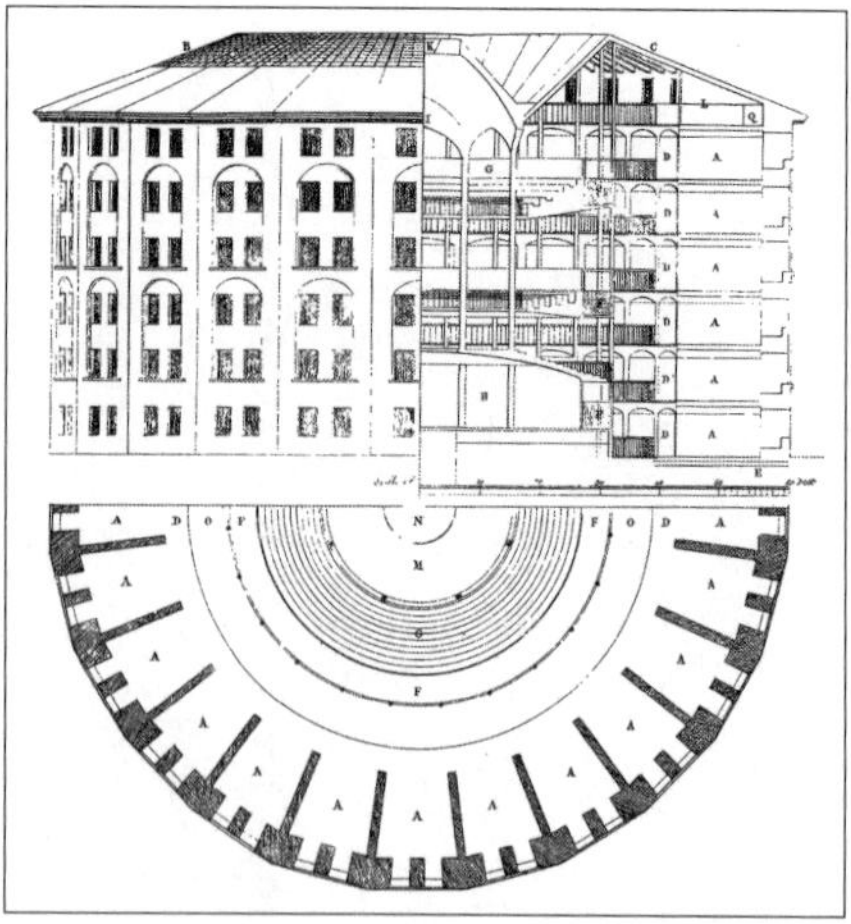

ベンサムが構想したパノプティコン型刑務所
(出典:『ジェレミー・ベンサム著作集4』より)

の役目を終える。ただ、刑務所として使われていた頃から、観光地として再開発する可能性は認識されていたようで、1880年には早くも観光客を受け入れた。

　実は、ヨーロッパ圏にはグランドツアーと呼ばれる上流階級の子弟が家庭教師とともに見聞を広めるための旅行形態がある。ある種の帝王学を身につけるための観光なのだが、この旅の目的地にはしばしばギリシア・ローマ時代の廃墟が選ばれていた。廃墟への旅を通じて、文明観を涵養したり、歴史的な考え方を身に着けたりすることが重視されていたのである。したがって、廃墟を訪問するということは、ヨーロッパの考え方では非常に自然な休暇の過ごし方であり、そもそも突拍子もないアイデアというわけでもない。

ポート・アーサー刑務所の一部

このポート・アーサーの観光地化は、20世紀に入っても続き、既述した通り、ついに21世紀には、「オーストラリアの囚人遺跡群」の一つとして世界遺産に登録されることになった。オーストラリアは、かつて流刑地であったことを国家のアイデンティティとして消化し、その歴史の影と正面から向き合ったのである。ダークツーリズムの理想的な進化の一形態がここにはある。

ただ、歴史はある意味で残酷であり、ポート・アーサーの悲劇は20世紀末にも形を変えて起きている。それは１９９６年に起きた無差別大量殺人であり“Port Arthur Massacre”として知られるこの事件では、当時20代の若者がまさにこの地で銃を乱射

ポート・アーサー銃乱射事件の場所にある慰霊モニュメント

し、35名が亡くなった。犯人の青年は、裁判では責任能力が疑われたものの判決ではこれが認められ、終身刑となった。

筆者はこの地の調査に赴くにあたって、刑務所としてのポート・アーサーの歴史的役割に加え、多くの観光客が犠牲となったこの事件の記憶が現地でどのように承継されているのかという点について大きな関心があった。「観光地」として割り切るならば、そこで人が死んだということに特に触れずにやり過ごすことも可能だからである。例えば、日本では２００８年の秋葉原連続殺傷事件に関しては、オーソライズされた慰霊碑は造られずに今日に至っている。

訪問してみると、通常の観光動線からは外してはいるが、慰霊施設は特に隠されることもなく存在し、興味や関心のある訪問客は、殺害現場と慰霊碑にアクセスできるようになっていた。タスマン半島では、ポート・アーサーの刑務所跡と関連したビジネスを展開する者が多く、この観光施設を長期間閉鎖するわけにもいかなかったのであろうが、一方で、多数の死者が出たことを無視するわけにもいかず、こうした事情の中での慰霊は困難を極める。それ故に、こうした「通常の動線からは外すが、慰霊施設は整備する」という解決策は、非常に現実的な対応策のように感じられた。日本では先述の秋葉原の事件の他にも、２０１６年の相模原障害者施設殺傷事件や２０１９年の京都アニメーションにおける大量殺人事件など、地域がその記憶をどのように扱うべきなのかという点について実際に困難が生じている案件は多い。このポート・アーサーの対応は、一つの有力な示唆となるのではないかと考える。

国防としての島

島は、帰属する国の辺縁部に位置することが多く、その場合、国境も近くなるため、海上警備の拠点が置かれたところも数多くある。他方で大国はしばしば防衛上の理由から遠方にある支配下の島を手放さなかったし、そこが他国の侵略の目標とされることも少なくなかった。

地中海の要衝だったマルタの首都ヴァレッタ

地中海の小国マルタは、まさに「島国」であり、中世以降イスラム教勢力とキリスト教勢力との戦いが続いた場である。ここはイタリア南部にほど近く、同時に南に下ればアフリカもそう遠くないという地政学上重要な位置にある。この島では、まさに「大国の興亡」が繰り広げられた。

マルタの中心地ヴァレッタは、これまた世界遺産に登録されている趣深い街である。イスラム支配が長かったことから、街の色調が全体にモノトーンであり、ヨーロッパ大陸の街並みとは明らかにカラーリングが異なる。

11世紀はじめのノルマン人の入植やスペイン支配の後、15世紀にはオスマントルコが何度かこの地にアプローチをかけるが、いわゆる「マルタ騎士団」により撃退され、キリスト教文明圏に留まることになる。しかし18世紀末にはナポレオンの侵攻を受け、その騎士団も蹴散らされてしまう。ナポレオンの天下も長くは続かず、ウィーン体制以後はイギリスの統治下に入る。ここまでの話を聞くと、我々には縁遠い、まさに「異国の話」に聞こえるかもしれないが、なんとこの島の歴史には大日本帝国の海軍が登場するのである。

第一次世界大戦における日本兵の犠牲を悼む慰霊碑

この島は、ジブラルタル海峡とスエズ運河の通過点になることから、イギリスにとっては地中海における重要な拠点であった。第一次世界大戦末期に、ドイツは「無制限潜水艦作戦」と呼ばれた軍事行動を採り、のべつ幕なしに航行する船を撃沈していったため、イギリスは対応に頭を痛めた。イギリスはドイツとの海上対決のために地中海から海軍を移動させる必要が生じ、当時同盟国であった日本の協力を仰ぐことになる。日本ははるばる軍隊を派遣し、イギリスの勝利に貢献した。日本はこのときの功績が認められ、ベルサイユ条約ではサイパンやパラオといった旧ドイツ権益の島々を委任統治領として事実上の支配下におけるようになった。地中海では日本の戦死者も59名出てしまい、彼らは現在もマルタの共同墓地で篤く弔われている。

日本海軍の「大活躍」は、一方で欧米列強の恐怖を生むことになった。というのも、遅れた東洋の小国だと侮っていた日本が、またたく間に世界最先端の軍事力を備え、当時の先進国と伍して戦う姿を目の当たりにした米英の軍関係者は、日本の軍備拡張を抑止する必要性を感じたからである。結果的に、日英同盟は破棄されることになり、この流れの中で、1921年からのワシントン会議*、1930年のロンドン会議*と日本の海軍力は国際条約によって抑え込まれることになった。

*ワシントン会議：海軍軍備制限及び太平洋・極東問題に関する国際会議。日英同盟は破棄され、日本、イギリス、アメリカ、フランス、イタリア5ヵ国の海軍力を一定保有量に制限した。

*ロンドン会議：ロンドン海軍軍縮会議。英米日の補助艦保有トン数比率は10：10：7となるほか、日本には厳しい結果となった。この決定は日本軍部の不満を招き、超国家主義運動が表面化する契機となった。

マルタが外国の勢力によって翻弄され続ける歴史は、その後も続いた。

イタリアなど南ヨーロッパからアフリカを窺う国々にとっては、島内のイギリスの軍事施設は非常に目障りな存在であったため、第二次世界大戦では枢軸国を形成していたドイツやイタリアの攻撃を受けることになった。しかし、マルタはイギリス本国の支援を受けられないまま、独伊空軍の猛攻によく耐え、自由を守り抜いた。この頑張りは、イギリスからジョージ・クロス勲章を受けるほどであった。

マルタにおける旧軍事施設の内部。ラスカリス戦争博物館として観光に供されている

さらに冷戦下では、イギリスの軍事施設がそのまま残ったために、ソ連の核ミサイルの脅威にさらされることになった。写真の施設は戦前から続くものであるが、戦後は一時期NATO（北大西洋条約機構）の戦略情報センターとして機能した。

最終的に冷戦はアメリカのジョージ・ブッシュとソ連の

マルタ会談が開かれたのはまさにこの洋上

ミハイル・ゴルバチョフによる、まさにここマルタでの洋上トップ会談によって終わりを告げる。古代ローマ以来の戦いの苦難を知るこの国で、和平が生み出されることになったのである。マルタでは、旧軍事施設や戦争遺構が観光客向けに多数公開され、往年の記憶を今に伝えている。この島を訪れた際は、細かい歴史の知識を確認するというよりも、地中海の美しい島国が、大国の思惑によって翻弄されてしまう「悲しみのダイナミズム」を、旧日本軍の犠牲も含めて感じ取っていただきたい。

防疫としての島

海で隔絶された土地というのは、防疫面からも非常に有効に機能する。ニューヨークを訪れた際に、世界遺産である自由の女神のあるリバティ島を訪れる人は多いと思うが、船のチケットは移民局のあったエリス島に立ち寄れるようにもなっている。エリス島そのものは世界遺産ではないが、ニューヨークを訪れた際はぜひここにも立ち寄りたい。エリス島では、ヨーロッパからの移民を一時ここに上陸させ、法的手続きを行うと共に、メディカルチェックがなされた。新型コロナ以前の空港検疫を思い出してみても、実際に引っかかったという人は稀であろう。ところが、エリス島では、ヨーロッパから伝染病を持ち込ませないために、実際に移民を留め置き、疑わしいものは長期にわたって隔離した。実際に入国を許されないケースは、他の法定事由を含めると2％程度はいたそうである。呼び寄せた家族と再び暮らすことも出来ぬままアメリカをあとにするケースもあり、この島は“Island of Tears（嘆きの島）”の別名を有している。

ヨーロッパの場合、ペストの記憶があるため防疫体制は厳格を極める。感染症を抱えた人間が都市に流入することは絶対に避けなければならない最重要課題だったのである。例えば、美しい世界遺産都市ヴェネチアの近くにはラッザレット・ヴェッキオ島があり、ここにはハンセン病を含む感染症の患者が隔離され、死に至らしめられた記録がある。水の都の繁栄の背後には、実効的な防疫制度があった。美しいヴェネチアの街並みを眺める時、その裏に病を閉じ込めた島があったことも覚えておきたい。

日本は近代に入るまで、ハンセン病患者を公的に隔離するという政策は採ってこなかったのであるが、明治以降ヨーロッパの感染症対策が導入され、本来は感染力が弱かったハンセン病の患者を隔離するようになっていった。その際、やはり島に隔離された例は多い。特に、1931年に癩予防法が制定されると、当時の質実剛健を旨とする軍国主義化の風潮もあり、この病を抱えた人々が強制隔離されることになった。現在では、特効薬で治癒が保証されるこの病も、長年にわたる差別が残っている。

日本の話を持ち出したのは、ハンセン病療養所である長島愛生園（岡山県瀬戸内市）を始めとするいくつかのハンセン病療養所が、日本の過ちの歴史を教訓とすべく、世界遺産登録に向けて活動を続けているからである。これが実現すると日本の世界遺産政策にとって大きなインパクトがもたらされることになる。なぜなら、近代化の過程で差別が存在したことを国が世界に対して公に認めることになるわけで、これまで光の面からばかり語られていた日本の世界遺産に新たな価値が発見されることになる。特に前章の産業遺産のトピックでは、「輝かしい明治国家体制」という観点から歴史が語られていたのに対し、ハンセン病問題に関しては明らかに近代化の誤謬として認識されることになるので、日本の近代を光と影の両面から捉えられるようになる意義は大きい。これは日本の世界遺産政策の中にダークツーリズムの概念が組み込まれることを意味する。世界遺産登録への道は険

世界遺産登録を目指す長島愛生園の歴史館

しいが、愛生園を始めとする関連団体の努力については心から支援を送りたい。

世界遺産化の弊害と限界

さて、前節の最後で、日本は悲劇の記憶と向き合わず、世界遺産化にあたっては光の歴史しか見ないという批判を述べた。理論的な話は7章に譲るが、隣国韓国においても、同種の傾向はあるとされており、ここでは独裁政権の下で国によって戦略的に悲劇が隠蔽された例を見ておきたい。

済州《チェジュ》島は、「韓国のハワイ」ともいわれるほど観光開発が進んだ島であり、風光明媚な景色に心が癒やされる。しかしこの島も、重い悲劇の記憶を有している。前近代においては、ソウルの中央政界で失脚した高級官僚であるヤンバン（両班）*層がこちらに配流されている。島での彼らの活動拠点であった寺を中心とした物悲しい記憶ではあるが、時代が遠いがゆえにまだ観光の用に供しやすい「明るいダークツーリズム」とも言える。

＊両班：朝鮮の高麗、及び李氏朝鮮時代の特権的な官僚階級、身分。

記憶が新しく、激烈な悲劇として島に刻まれるのは、近代以降の歴史である。もちろん、日本統治下で現地朝鮮人が動員され、軍事要塞化したという点も、島の人々にとっては傷跡であろうが、最大の悲しみは戦後になって生じている。それは、「４・３事件」と呼ばれる共産主義者（アカ）狩りであり、戦後の冷戦構造の中で１９４８年に起こった大虐殺事件である。この件については、アカ狩りとは言っても、権力側が「あいつはアカだ」という風評および噂レベルで摘発していたため、共産主義者と何ら関わりのない者も多数殺されてしまった。死者数は島民の５人に１人にあたる６万人に及び、村の７割が焼き尽くされたという。済州島には、既述した通り、長年に渡って中央政界を追放されたいわゆる「政治犯」が流されていたため、政府に対する反権力の島であるとの偏見が大量虐殺をエスカレートさせたとされている。

韓国はその後長く軍事政権に入ってしまったため、この悲劇の記憶は公に語られることはなかった。というよりも口に出す事自体が長年タブーであったそうで、「４・３事件に関わった家は、三代に渡って職がなくなる」という言い回しが韓国ではまことしやかに流布されたという。しかも、済州島は朴正熙*政権以降、大規模な観光開発が行われ、観光地化することで悲劇の隠蔽に拍車がかかった。しかし、済州島の悲劇は当地からの移民が多かった大阪において長きにわたって語り継がれ、80年代の民主化後に公の検証が行われることになった。

役人の流刑地であった済州島で儒者のコスプレを楽しむ私

＊朴正熙：１９１７～１９７９年。韓国の軍人、政治家。１９６３年に大統領となり永続政権を目指したが、79年に射殺された。

また、済州島を概観すると世界遺産というシステムを司るユネスコへの不満も覚えることになる。１章では、世界遺産の制度面の解説からユネスコの役割を客観的に解説したが、現実と対峙してみるとその組織の問題点が具体的に浮かび上がって

済州島の様子。写真中央やや右にある建造物が済州島4・3事件平和記念館

くる。

こちらは、地学的に稀有な特性を持った火山島であったため、2007年には世界自然遺産に登録された。それ以降、山岳部への自由な出入りが制限され、虐殺の調査や慰霊がやりにくくなってしまっているという。現在は、済州島4・3事件平和記念館が置かれ、記憶の承継が図られているが、一般の観光ルートからは外れており、問題意識の拡散は限定的なものにとどまっている。

さらに、「特徴的な火山島」であるが故に、地質資源として保存活用を考える*ジオパークにも認定されている。加えて、済州島の冬栢東山《トンベクトンサン》湿地が水鳥の生育に適した湿地帯を守る*「ラムサール条約」の対象地にもなっている。ジオパークは直接に、そしてラムサール条約は寄託者としてユネスコが関わっている。これらを概観すると世界遺産と併せて、文化・地質・環境を保護する仕組みが相互に連携なく併存しているとも捉えられる。ユネスコは現在では巨大な官僚組織になってしまい、済州島という対象地を統括的にマネジメントすることが出来ず、各部署・部局でそれぞれ別個に施策が進められているように見える。それぞれの仕組みは意義も価値もあるものだが、相乗効果なり統合的理解なりをどう実現するのかは、未だ不透明のままである。

＊ジオパーク：国際的価値のある地質遺産の保全と活用を図る事業で、２０１５年にユネスコの正式プログラム「ユネスコ世界ジオパーク」として採択された。

＊ラムサール条約：１９７１年2月2日、イランのラムサールでの国際会議で採択された湿地の保全に関する国際条約。正式名称は「特に水鳥の生息地として国際的に重要な湿地に関する条約」。

悲劇の重層性

話を島の悲劇性にもう一度戻そう。四方を海に囲まれ、隔絶の地である島の利用は悲劇性を不可避的に伴っているが、その悲劇のストーリーは必ずしも単一のものとは限らない。

しばしばその悲劇は重層性を持って現れる。

先に紹介したロベン島は監獄として有名であるが、実はハンセン病患者を隔離した防疫の島としての歴史も持っているし、第二次世界大戦中はケープタウン防衛のために砲台が備えられ、国防の島としての側面もあった。島が持つ悲劇の記憶は往々にして重なりを持っており、時代や国情によってそれは変化を見せる。

ただ、しばしば、宗教は大きなキーワードになる。既述したマルタの他にも、スペインのカナリア諸島やギリシアのロードス島などは、キリスト教とイスラム教が覇権を競い合い、戦禍にまみれた。キリスト教もイスラム教も普遍宗教であるため、関連世界遺産についても数多くの国に及んでいる。キリスト教が非常に珍しい形で世界遺産の対象になった例として、2018年7月に登録が決まった「長崎と天草地方の潜伏キリシタン関連遺産」について、島のダークツーリズムといった観点から紹介しておきたいが、これについては現在の世界遺産制度の持つ問題点が集中的に表れていると考えられるので、次の5章で別個にまとめてみたい。

島への旅にあたって

こうして見てみると、島は魅力的な観光地であると同時に、周囲から攻められやすく、生産性も低いため、不可避的に影の記憶を持たざるを得なくなることもおわかりいただけるかと思う。また、周囲と隔絶されていたからこそ独自の文化が残ると共に、文物の中継地として多彩な融合文化も花開いていた。

単に「風光明媚で魚がうまい」というだけで島を語ってしまうと、島が持つ本質的価値を見失いかねないのである。

現在、佐渡が世界遺産登録に向けて動いているものの、金山労働を始めとする島の影の記憶をいかに扱うかという点でのコンセンサスは取れていないと聞く。しかし、閉ざされ、限られた空間だからこそ生み出される悲しみは、島の持つ核心的価値そのものと直結し、島の魅力の一つを構成する。その魅力を体感するダークツーリズムという新しい旅の概念が、ぜひとも彼《か》の島の人々に伝わることを願っている。

同時に島を訪れる側も、島の文化に対する敬意を忘れないようにしたい。観光が主力産業である沖縄においても、「観光業で働く」というのは、長年悲しみを帯びた言葉で語られてきたところがある。それは、島の生産性が低く、観光業に頼らざるを得なかったうえに、都市部の資本で島の観光を開発し、いわば島を経済植民地のような立場において来たという事情があったからでもある。本土から金を運んでくる観光客に傅《かしず》く、サーバントとして役務《サービス》を提供するという格差構造が、島嶼部の観光には存在していた。

こうした「上下構造」を打ち破るには、まだ見ぬ文化への「畏敬の念」が重要となる。島の文化を都市住民の消費の対象ではなく、独自の特別な価値と捉えることで、島と都市部の対等な関係を構築し直すことが求められている。

第5章　潜伏キリシタン関連遺産を観る眼

登録までの経緯と問題点

本章では、2018年7月に世界遺産登録された「長崎と天草地方の潜伏キリシタン関連遺産(但し、英語の正式名称では、〝天草〟の記載はない)」を題材に、ダークツーリズム的なアプローチを試みることにする。

「長崎と天草地方の潜伏キリシタン関連遺産」については、実はすんなりと世界遺産に登録されたわけではない。地元や学術界においては、こちらの世界遺産は、2015年に登録されることが想定されていた。

しかし、この思惑は二度にわたって裏切られた。一度目は、2015年の登録に関して、安倍内閣肝入りの企画であった「明治日本の産業革命遺産」が、いわば横入りする形で世界遺産として推薦されてしまい、長崎のキリスト教関連資産の世界遺産登録を目指していた関係者は砂を噛むような気持ちになったと聞く。

それでもなお、行政や関係者は希望をつなぎ、翌年の登録を目指すことになったが、そこで再び落胆することになる。日本から世界遺産登録の推薦を受けたイコモスは、慎重に検討した結果、中間報告段階で問題点を示し、「登録の延期」という最悪の事態が懸念されるようになった。これには当初、日本政府も自治体関係者も、そして地元の人々もかなり驚いたらしい。そこでいったん推薦を取り下げ、仕切り直しをすることになった。イコモスの主張のポイントはいくつかあるのだが、大きな要素としては、「禁教期に焦点を当てよ」というメインの論点があり、そこから「候補に挙げられた教会建築の多くは禁教期ではなく、信仰が認められた明治6年以降のものなので世界遺産として不適」という論理が導かれる。

まず前者については、イコモスからの指摘が来るまでは、「弾圧に耐えて信仰を守り抜いた麗しいストーリー」を日本側が描いていたところ、端的に言えば「江戸幕府のした非道いことをちゃんと述べるように」という指摘が入った。そこで長崎県は、今回の世界遺産への推薦及び登録に関しては、イコモスとのアドバイザー契約に基づき、実際に公金で彼らを雇い、痛々しいまでにヨーロッパが求める筋書きに変更させている。

また、日本側が当初登録の核心として考えていた後者の教会建築については、せいぜい19世紀後半以降のものであることから文化財としての価値が低いとみなされたばかりか、*鉄川与助を始めとして日本人の設計による建造物はすべて登録対象から外され、唯一江戸末期にフランス人が設計指導をした大浦天主堂だけが、世界遺産登録の対象となった。

春日集落の棚田

＊鉄川与助：1879～1976年。明治～昭和期の建築家。仏教徒でありながら教会の建築に情熱を注いだ。現存するものは30を超える。

ヨーロッパの感覚からすれば、キリスト教文明について体系的に学んでいない東洋の大工が、見よう見まねで建てた教会は、たとえ地元の人達の心の拠り所であったとしても、文化としてオーソライズすることは難しかったのであろう。その結果、教会の多くが世界遺産の登録対象ではなくなったものの、日本側はイコモスのアドバイスに従い、潜伏キリシタンたちが作り出した「集落」を世界遺産登録するべく方針を転換した。

確かに、隠れキリシタンは、権力の弾圧を逃れて生産性の低い土地に移り住み、そこで生活を維持したために独特の文化景観が生まれたという論理は理解できる。しかし、実際に登録された集落の中には、キリスト教関連遺産としてその適切性に疑問を持たざるを得ないケースもある。

平戸の春日集落は大規模な棚田で知られ、今回の世界遺産登録においては、近隣で有力視されていた田平教会と入れ代わる形で世界遺産となった。ストーリーとしては、隠れキリシタン達が迫害を逃れ、農業に適さない山間に入り込み、棚田を作ったためにここに独特の景観が生まれたとされているのであるが、食糧増産のために生産性の低い土地に人々が入り込み、棚田を作った例は世界中で枚挙にいとまがない。

平家の落人集落で棚田がよく見られるというのは一般に知られた話であるし、筆者の住む石川県でも輪島を始めとして棚田で有名な景観は数多くある。敬虔な仏教国であるスリランカは棚田が多いことでも知られているが、春日集落における世界遺産を解説する案内所を訪れてみても、キリスト教文明とこちらの棚田の持つ景観との関係性については説明が与えられていない。そもそもこちらの集落ではもはやキリスト教関係者がいなくなっており、信仰の連続性が見られない中で田平教会を差し置いて世界遺産化する意図は見えづらい。

様々な問題はあるものの、各部局の尽力により、〝めでたく〟世界遺産登録された場所が、地図で示した12ヵ所である。長年、世界遺産登録運動を展開していた人々にとっては、承服し難い登録が数多くなされてしまったという感慨を持つ方もおられよう。

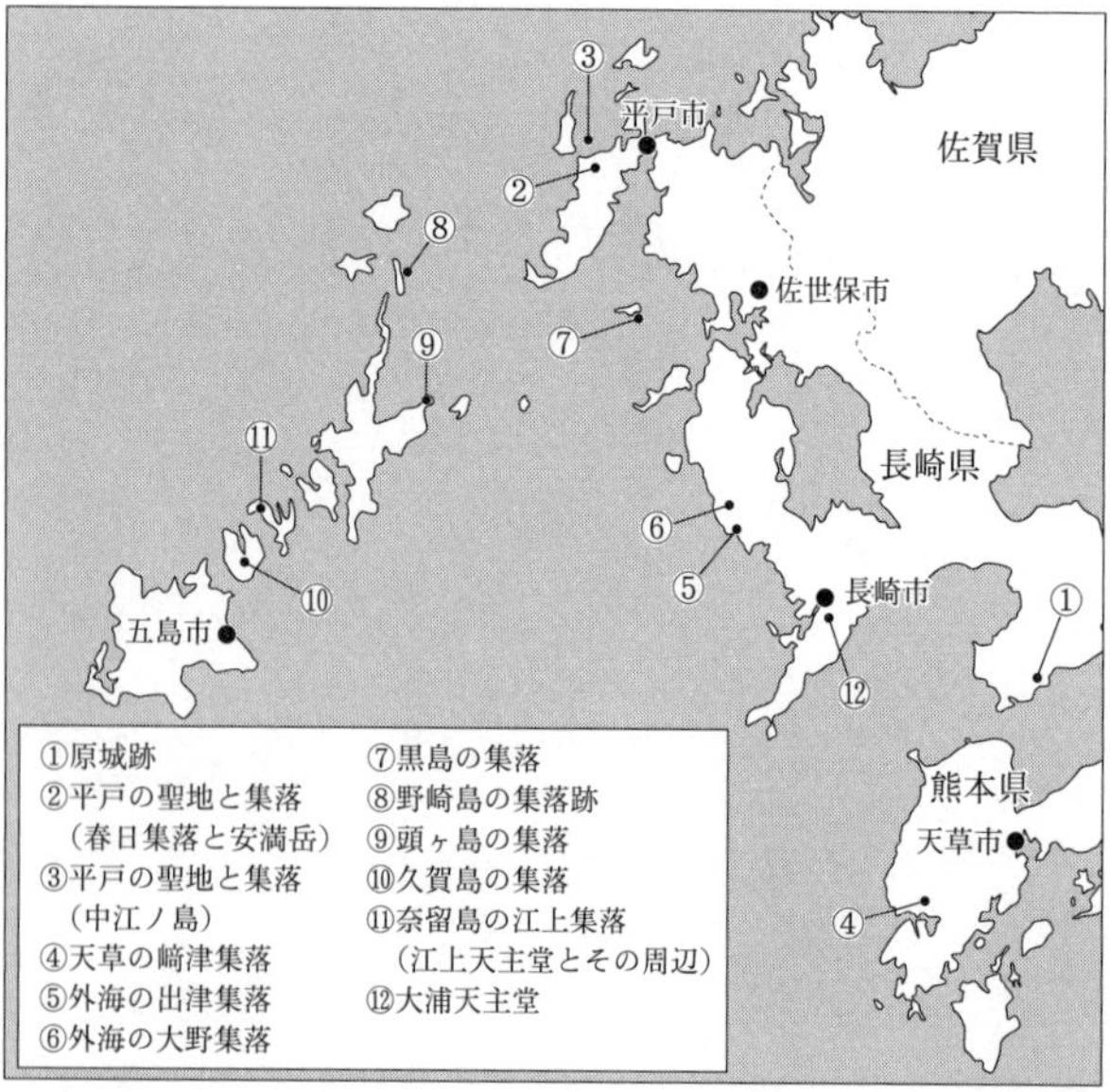

「長崎と天草地方の潜伏キリシタン関連遺産」の構成資産

「隠れ」か「カクレ」か

さて、中学や高校では、江戸時代に弾圧を受けながらもキリスト教を信じた人たちを「隠れキリシタン」と習っていたところ、「潜伏キリシタン」という呼称自体に違和感を覚えた方も多いであろう。確かに、一般的に江戸期において密かにキリスト教信仰を守っていた者を、後世「隠れキリシタン」と呼んだわけだが、彼らの内実はかなり複雑な社会構造を有しており、マクロ的に実相を見た場合、「隠れキリシタン」という呼称でまとめにくいという事情があるのは確かである。

幕末に日本が開国したことにより、宣教師は居留外国人向けに教会を建てることを許され、そこでキリスト教の宗教活動が始まることになる。その流れの中で、まさに〝潜伏〟していた浦上地区のいわゆる「隠れキリシタン」が、「長い間、我々はキリスト教を信仰していた」という告白を神父にするのであるが、この「信徒発見」以降、逆説的に彼らが一枚岩を保つことは難しくなった。

隠れキリシタン達は、長期にわたって正統派カトリックと関わらなかったため、その信仰形態は独自の変化を遂げ、フランス人宣教師たちから見るとかなり奇異なものに映ったらしい。そして、宣教師たちは、彼らに対してフランス流のカトリックの信仰を迫ることになる。この際、確かに多くは正統派カトリックに帰依することになるのだが、一方で長年引き継いだ「自分たち独自のキリスト教」を捨てられない信者もいたわけで、独自の信仰を守った彼らは「カクレキリシタン」と呼ばれることになった。さらに、長崎で変形したキリスト教（＝カクレ）の教義がカトリックから否定されたことで深刻なアイデンティティクライシス（自己崩壊）を感じ、仏教や神道に改宗する者さえいた。このように、「カクレ」と「隠れ」にはそれぞれ独自の意味概念が読み取れるため、江戸期のキリスト教徒を総称して潜伏キリシタンと呼び、これを包括的な概念として用いるようになったと考えるのが最大公約数的な理解となっている。

その後の集落の人間関係は非常に錯綜したものになった。つまりフランス人宣教師が、正統派カトリック以外の信仰を頑なに認めなかったため、地域コミュニティの分断が起きたわけである。ただし、この点については現地でも非常に難しい扱いになっている。長崎県世界遺産課の公式サイトでは、禁教の時代を4つに区分し、最終段階では、フランス人宣教師が隠れキリシタンたちと出会うことによって、彼らが信仰を回復し、「〝潜伏〟の終わり」が到来したと記している。その上で、カトリックに帰依する者もいれば、伝統的なカクレの信仰を守る者も残り、さらには神道や仏教に接近する人々すら現れたことが語られているが、これらの社会集団がその後長期にわたって具体的にどのように反目していたのかという点についてはほとんど説明がない。

換言すれば、旧来型の「カクレ」の信仰形態は残存したわけであるから、潜伏キリシタンの活動は単純に「終焉」を迎えたとは言えないはずであるのに、かなり曖昧な表現にとどめている。

現地を歩いてみても、禁教が解けたあと、この地域で新たに生じた宗教対立を感じることはかなり難しい。むしろ近年になり、黒崎地区の枯松神社において、こうした宗派の違いに基づくコミュニティの分断を乗り越えるための式典が開催されるようになったことから、融和が強調されているとも言える。

枯松神社にある祈りの岩。復活祭の前に、ここで「オラショ」と呼ばれた祈りを捧げていた

　こうしたコミュニティが抱える問題に対しても、今回の世界遺産登録にあたっては特に言及がなされていない。というよりも、日本独自に発達した「カクレキリシタン」の信仰については、基本的にオーソライズされておらず、彼らの信仰にまつわる遺構が存在する黒崎は世界遺産登録から漏れているし、カクレキリシタン信仰が集中した平戸の生月《いきつき》に関しては、一部がバッファーゾーン（緩衝地帯）と呼ばれる世界遺産の構成要素の隣接部分となっているだけで、直接には世界遺産登録されていないのである。

　一方、世界遺産に登録された出津《しつ》地区の紹介では、貧しい地域にフランス人宣教師が来訪し、彼らに農業生産と加工技術を教え、生活を改善させたという「西洋文明の光」が語られる。これは、冒頭に記したアジア系の世界遺産でしばしば見られる問題と同種の構造を呈しており、「世界遺産」という制度がヨーロッパ文明圏の価値概念を拡散させる装置としての役割を果たしていることが窺える。

反対論について考える

落ち着いて今回の登録を再度見つめ直したとき、「禁教の歴史」に関しては、日本側にとっても言いたいことはそれなりにあろう。事実、保守系の言論人の中には、潜伏キリシタン関連遺産の世界遺産登録に関しては、快く思わない者もいた。寺社の焼き討ちや宣教師を通じた奴隷の輸出を行っていたキリシタン大名たちの蛮行に触れることもなく、ただひたすら西欧のコンテクストを受け入れた長崎県を始めとする日本側の関係機関の対応は、果たして適切だったのかという悩みも感じてしまう。

筆者は２０１８年の3月まで高山右近*の故地である大阪の高槻を中心とする北摂地域に住んでいたが、２０１６年に高山右近がバチカンから列福された際も、顕彰の動きが鈍かったことを覚えている。地元仏教関係者から見れば、宗教弾圧の元締めのように見えるわけで、元々キリスト教徒が1％未満という土地からは、特に大きな動きはなかった。結局、高山右近の列福に伴うイベントは、大阪市内で行われた他、彼が客分として草鞋《わらじ》を脱ぐことになった前田の殿様のお膝元である金沢で盛大に行われることになった。

＊高山右近：1552?～1615年。戦国時代のキリシタン大名、摂津高槻城主。

イコモスが「禁教の歴史に焦点を当てよ」というのであれば、その前提として「なぜ禁教政策を採ったのか？」という経緯についても言及してしかるべきであろうが、長崎県を始めとして、日本はこの件に関しては口をつぐんでいる。

また「ヨーロッパの文明観で価値を判断する」という世界遺産登録の傾向が、今回の構成資産の選定にあたってもあからさまに表れた点については、既述した通り教会群が世界遺産として認められなかったということからも明らかであった。

一方、地元ベースで考えてみると、地域の人々が篤い信仰心から教会を渇望し、それらはまさに自分たちが主体となって作った建造物である。そこには確かにキリスト教史や教学に関する体系的な理解が欠けていたかもしれないが、アジアの民衆の素朴で尊い信仰心の化体《かたい》がこれらの教会群であったとも言えよう。とすれば、ヨーロッパの文脈でこうした構造物の価値が否定されてしまった際、今回のように教会の登録を諦めるという政策的選

鉄川与助の手による田平教会。国の重要文化財に登録されている

択が果たして良かったのかどうかという疑問が残る。

　では、今回登録された関連地域の世界遺産化はすべきではなかったのであろうか？

　この点、確かに各方面と妥協を重ね、本質的な論点にはあえて目をつぶりつつ、無理矢理に世界遺産にしたという批判は数多くあるのだけれども、それでもまだ一方で、五島を始めとする長崎県、及び熊本県の過疎地の活性化が期待されていることも紛れもない現実であると言える。離島を始めとする過疎地でも、ほんの十数年前は穏やかな暮らしと静謐な信仰を守るために、観光客に地域を開放することを快く思わない向きも多かったと聞いている。

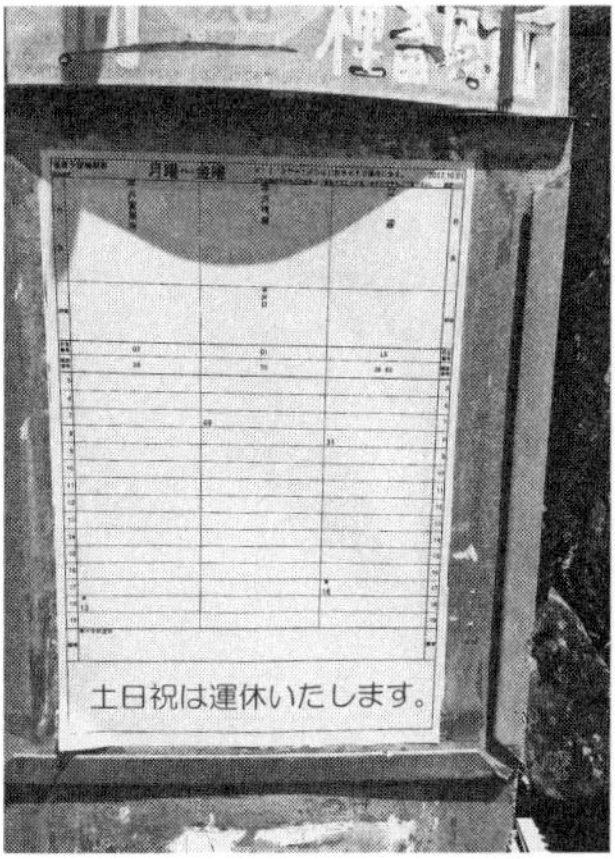

バス停「天主堂前」の時刻表

　とは言え、現状では、離島や過疎地でそもそも若者を見つけること自体が難しく、若年層に適した職場もなかなかない。そうした状況下、観光産業に地域再生に関する一縷の望みをかけ、世界遺産登録を活性化のための切り札としたいという地元の人々の気持ちもわからないわけではない。上の写真は２０１８

年における田平教会の前のバス停の時刻表であるが、既に公共交通としての役割を果たすのは難しい状態となっている。ご多分に漏れず、長崎県においても過疎化は大きな問題なのである。

今回の世界遺産登録に関しては、単に宗教的な遺跡・遺構を観るというだけではなく、人口減に悩む疲弊した地方の問題点を感じ取るとともに、ヨーロッパ文明に妄信的に追従してきた日本の世界遺産登録のあり方を再考する場としても重要な意義を持つ。12ヵ所を回りながら、対象を多面的に捉える旅を楽しんでみたい。

世界遺産による集客の是非

日本初の世界遺産登録は１９９３年になされ、その時の文化遺産は「法隆寺地域の仏教建造物」と「姫路城」であったために、多くの国民は特に違和感を覚えることもなかったであろう。これが大きな転換点を迎えるのが、２００７年の石見銀山の登録である。

地方の廃坑であった石見銀山が、なぜ世界遺産登録にまでこぎつけられたのかという点については諸説ある。そもそも、国内の推薦レースに勝つためには、他の候補地を圧倒しなくてはならないが、その際、文教族として名を馳せた政治勢力が文化庁をまとめたことは、よく知られている。さらに、イコモスに推薦を送った後に、委員からは世界遺産に推すことに難色を示す声も多く、実際に「登録の延期」が勧告されたが、ユネスコ本体の会議では、日本のユネスコへの貢献が大きいこともあって、なんとか逆転して本登録にこぎつけることになった。

その後は、読者諸氏もご承知のとおり、山陰の山間の田舎町に、一時は年間80万人を超える観光客が押し寄せたのである。地方の首長がこの光景を見たとき、是が非でも世界遺産登録を成し遂げたいという思いを抱くのはやむを得ないことかもしれない。

長崎県内の人口移動を見てみると、長崎市に若者が集中するだけでなく、近年は道路交通の便が良い福岡市や、果ては航空機の便数が増えた東京都に若年層の流出が進んでいる。カクレの信仰を持つ人々の高齢化も進み、かつてローマ教皇が長崎を訪れた時に、「自分たちとは直接関わりのない方」と捉え、自己の信仰の静謐を保とうとした人々ですら、過疎化の中で若者の仕事場が減り、集落が成り立たなくなっていく現状を見るにつけ、いわば「妥協」の中で今回の世界遺産化を受け入れざるを得ないという状況がある。

戦後に、カクレの信仰が廃れていったのはもちろん弾圧があったからではなく、高度成長という資本主義の波に集落が飲まれたからである。カクレキリシタンの信仰を守るため

地元「外海潜伏キリシタン文化資料館」館長である松川隆治氏から詳しい話を伺う私

には、数多くの定型的な年中行事を自分たちでこなす必要があり、これは職住近接の自給自足型社会でなければ不可能であった。

ところが、高度成長によって現金収入が重視される貨幣経済の波が農村にも及ぶことになり、多くの労働力が村を出て都市に移り住むようになった。すると、地域密着の信仰行事は当然成り立たなくなるわけで、かつてカクレの信仰を持っていた人々は、生活の都合上、他宗教へ改宗せざるを得なくなる。その際、明治期に確執のあったカトリックよりも、受け入れてもらいやすい仏教を選んだという例はかなり多い。日本独自の変形キリスト教であったカクレキリシタンの文化は、江戸時代の弾圧にはビクともしなかったものの、戦後の資本主義には敗れてしまうのであった。

旅人として

今回の旅先を俯瞰すると、「潜伏キリシタン関連遺産」は、単に歴史的な対象ではなく、日本社会が抱える様々な悩みが具現化した存在であると考えることもできる。既述した、石見銀山の世界遺産登録による効果は、大体5年で薄れ、コロナ前ですら最盛期の半分以下にまで入り込み客数が落ち込んでいる。長崎・天草のケースにおいても、世界遺産になったことによる誘客効果はそれほど長くは続かないかも知れず、そもそもその地域にリピーターを呼び戻す魅力がなければ、持続可能な地域社会は育ってこない。

離島や僻地を多く抱えた今回の世界遺産については、5年後10年後に各地域がどのように変化していったのかを注意深く追う必要があるだろう。

世界遺産化を機縁として、地域資産の一層の掘り起こしと交流人口の増大を目指し、再生に向かう地域が出る一方で、やはり世界遺産化に伴う効果があくまでも一時的なものにとどまり、さらなる凋落を生む地域も出てくるかもしれない。そうであるとすれば、この地への訪問は、世界遺産という制度が持つ仕組みの問題点や限界について、学ぶという逆説的な意義も有している。単に、スタンプラリーのように構成資産を観るだけではやはりもったいなく、より本質的な啓発効果をここでの旅に求めたい。

第6章　復興のデザイン

人類の悲しみの記憶を巡る旅であるダークツーリズムの対象として、戦争と災害は避けて通れないメインコンテンツとなっている。戦争と災害は、一見直接には関係のない現象に思えるかもしれないが、惨禍を目の当たりにして、より良い状態に作り変える「復興」をキーワードとした時、そこには共通点も見えてくる。本章では、戦争と災害からの復興に関する世界遺産の事例を俯瞰しつつ、比較文明論の観点から考察してみたい。

日本はしばしば「災害大国」と言われ、有史以来幾多の災害に襲われたが、意外なことに世界遺産に登録された復興の事例は今のところない。何度か触れた通り、通常、「世界遺産」という括りで纏められる世界文化遺産と世界自然遺産に関しては、「不動産」であることが前提となるので、世界遺産の登録対象として復興の成功例が検討されても良いかと思うものの、*安政地震、*明治三陸地震、*関東大震災等の被災の経験が世界遺産登録という仕組みとあまり結び付けられて考えられてはいないようである。これも、日本における世界遺産の役割が観光振興に偏っていることと無縁ではないだろう。

*安政地震：安政年間（１８５４〜１８６０年）には大小20回ほどの地震があったが、うち東海・南海・江戸地震を安政の三大地震ともいう。東海・南海地震はいずれもマグニチュード

8・4と推定される。南海地震の死者は2000～3000人、江戸地震の市中の死者は約7000人とされる。
＊明治三陸地震：1896（明治29）年6月15日、岩手県沖の日本海溝で起きた地震。マグニチュードは8・2。大津波が三陸海岸を襲い、死者約2万2000人を数えた。
＊関東大震災：1923（大正12）年9月1日、相模湾で起きた大地震。マグニチュードは7・9。死者・行方不明者は約10万5000人。

ヨーロッパで出版されたダークツーリズムの一般的な教科書を読んでみると、戦争に関する事例はたくさん上がってくる一方で、災害に関してはあまり触れられることがない。実際問題、ヨーロッパではそれほど地震がないし、それゆえ津波もなく、日本語のツナミが世界共通語の“tsunami”になってしまうほどである。

とは言うものの、自然災害の経験と記憶はヨーロッパにまったくないということもなく、悲劇と復興のストーリーが世界遺産として認められ、多くの旅人を引きつけているケースがある。

古代史においては、ポンペイ*が有名であり、イタリア南部でも有数の観光地となっている。ただポンペイの遺跡は、ダークツーリズムの核心である教訓の承継や悲劇への共感という価値概念からはあまりに遠いところに位置している。

＊ポンペイ：イタリア南部のナポリ湾東岸、ベスビオ火山南麓にあった古代都市。79年8月24日のベスビオ火山大爆発により壊滅した。

そこで、近代以降のヨーロッパの歴史を鑑みることになるわけであるが、そこでは被災した後、復興過程が現代に何らかの示唆を与えている例もいくつかある。ここではまずシチリアの話から始めたい。

ノブレス・オブリージュ

シチリア島と聞いた時、読者諸氏は何を思い浮かべるであろうか。ダークツーリズムファンであれば、マフィアの歴史について考えを巡らす人もいるかも知れない。実は、世界遺産登録数は長年イタリアが単独で1位であった。2位には中国が続いていたが、ついに２０１９年に追いつき両国が現在同数で1位である。２０２０年から世界遺産の登録に関しては、各国上限が一つに限定されるため、基本的にこの順位はひっくり返らないと考えられている。

さて、世界遺産という制度が、極めてヨーロッパ中心の考え方であるという批判は、すでに何度か説明した通りである。実際、イタリアに登録が集中しているという事実があり、ヨーロッパの人々の心のふるさとであるローマ時代への郷愁がそうさせているのだとも言われる。確かに、スペインやフランスの世界遺産についても、古代ローマ帝国の栄光を刻んだものが多い。

　ヨーロッパの古代から中世にかけての社会システムの核心は身分制であり、近代化の過程で貴族を中心としたこのヒエラルキーが崩壊していくというのは、皆よく知るところではある。

　ただ、上層階級というものは、ある日突然その姿を現したというわけでない。このあたりは近代の現象としての「ブルジョワの発生」とは根本的に仕組みを異にしている。

　我々はしばしば「貴族」という存在を、不労所得で生活する不埒な人々と捉えるかもしれない。しかしながら、高貴な存在であるということは、それ相応の社会的責務を負うことでもあると認識した方が良いだろう。この責任論はしばしば「ノブレス・オブリージュ（高貴な義務）」と呼ばれ、貴族文化の一部を形成している。

　シチリア島は、1693年1月に大きな地震の被害を受ける。この地震の規模は、面積においてもまた被害人員についても甚大であり、島東南部のヴァル・ディ・ノート地方全域が壊滅し、犠牲者の数は6万人とも9万人とも言われている。この時、シチリアの復興

「ヴァル・ディ・ノートの後期バロック様式の町々」の一つとして世界遺産に登録されているカターニアの様子

をかけて、地元の貴族たちが個人財産を出し合ったことはよく知られている。

世界遺産「ヴァル・ディ・ノートの後期バロック様式の町々」は、この貴族たちの義《ぎ》捐《えん》によって、再建あるいは移設された街並みを現在にまで引き継いでいる。後期バロック様式で整えられた街並みは、なるほど確かに美しいのであるが、この街並みの統一感が自然災害によって廃墟となった後の復興に由来していることを聞いた時、やはり一抹の悲しさも覚えてしまう。一方で、当時の貴族たちの負担は相当なものであったにもかかわらず、300年を経ていわゆる「被災地の街づくり」がまさに丸ごと世界遺産に登録されると知ったら、彼らはどう感じるだろうとも思い、この地方の散策に興味は尽きない。

「遺構」の現在性

筆者の専門領域であるダークツーリズムの研究のためにイタリアを訪問してみて感じるのは、「遺構」に関する感覚の違いである。東日本大震災の後、被災地には数多くの震災遺構が出現したものの、そのかなり多くがすでに撤去されてしまっている。私自身は、様々な場面においてこうした震災遺構の活用を主張し、保存の必要性を説いてきたが、なかなか大きな潮流とはならなかった。

もちろん比較文明論の観点から考えてみると、「過去の悲劇」を残すことについての精神文化の違いがあることは確かである。ミケランジェロの宗教画が典型であるが、キリスト教文明圏においては「天国と地獄」「天使と悪魔」「生と死」といった対立概念が統一的な視座のもとで語られることが多く、歴史の光だけでなく影も当然に受け継いでいく。

一方、我が国では、鎌倉時代に一般化した「怨親《おんしん》平等」思想があり、亡くなった人々への悪態は禁忌となっている。しばしば「死んで詫びろ」という言葉を耳にするが、死亡後は罪を不問に付して、その問題に関わる教訓を構造的に後世に残すという気概に乏しい。

世界遺産バチカン市国・システィーナ礼拝堂内にあるミケランジェロの『最後の審判』。「天国と地獄」が対比的に描かれ、二元論的な概念を一目で把握できる（画像出典：Wikimedia Commons）

その結果として、過去の教訓を承継しようとするダークツーリズムに関しては、なかなか世論の賛同を得られないばかりか、過去の悲劇に関係する遺物や遺構を保存しようとする動きも出てこない。

　こうした文明論的に異なるコンテクストを背景として、日本ではよく「負の遺産」とか「負の世界遺産」という言い回しを用いることも多いのだが、こうした表現は実は日本特有のものであって、欧米文明圏の人に説明しようとすると彼らはキョトンとすることになるというのは1章で軽く触れた通りである。歴史を承継しようとする場合、当然のことながら、光の部分と同様に影も受け継ぐというのが彼らの意識であり、なぜわざわざ「負」を強調するのか理解できないのである。

ただ、こうした思想的背景にとどまらず、建造文化物、そしてもっと平たく言えばモノの存在形態自体が欧米と日本では全く異なるため、歴史の承継に関する価値概念に違いがあるのではないかとも感じられる。

例えばシチリアのシラクサでよく知られた遺構に「アルキメデスの墓」というのがある。日本から来た一般旅行客であれば、はるか昔の縁遠い存在に思われるわけであるが、現地で道を聞いてみると「すぐそこだよ」という感じで教えてくれる。街の中に何の違和感もなく古代の石造物が共存しているわけで、石の文化圏の歴史承継に関する考え方が、木の文化圏とは根本的に異なるのではないかとも考えられる。いわゆる、「遺構」と呼ばれる存在が、積極的に保存しなくとも、長期に渡って客観的現実として存在し続けたヨーロッパ文明の特質が、記憶の承継に関しても影響しているのではないだろうか。

さすがに、20世紀末になるとユネスコの側も木や草を中心とした非石造文化圏における文明の構造が、欧米圏とは全く異なることを認識するようになった経緯は1章の制度の説明で述べた通りである。それ故、かつては世界遺産の対象となっていなかった「景観」や「集落」といった価値についても、現在は登録されるようになっている。

ただ「石に刻む」という言葉がある通り、石が持つ「情報の保持期間」は長時間であり、これは他のメディアの追随を許さない。石を撤去しようと思った時、そこにはかなりのコストと労力がかかるわけで、石が抱える歴史を完全に消し去ることは難しい。敗者なり、弱者なりの無念の思いが石の構造物と結合した時、その対象は悲劇の記憶として未来に受け継がれる。翻って、木の文化圏を見ると、その構造物は撤去も廃棄も容易であるが故に、まさに「過去をなかったコトにする」という営為が実現可能であり、それが日本型の怨親平等思想とつながるのではないかと推察される。

この差異は、風土や自然条件とも関係するため、どちらが良いとか悪いとか言った話ではない。ただしばしば「日本が過去に向き合わない」という批判を受けることがあるが、そこにはある種の構造的な要因があるのではないかということは心に留めておいても良いであろう。そのうえで、今後日本において過去をどう受け継ぐかという点について考えた場合、ダークツーリズムなる方法論が非常に強力に機能することは間違いないのであるから、無理のない形で日本に接合させていきたいと考えている。

戦争からの復興

さて、話の筋を少しもとに戻して、次に戦争からの復興について考えてみよう。2つの世界大戦はヨーロッパの人々の意識を根底から覆したようで、20世紀の事象ではあるものの、数多くの遺跡・遺構が世界遺産登録されている。

ワルシャワ歴史地区の王宮前広場（写真：Yu/PIXTA）

例えば、ポーランドのワルシャワは第二次世界大戦に際し、ナチスの侵攻と略奪を受け、街が壊滅してしまうのだが、戦後、ポーランド自身の努力によって街並みが再現された。ポーランドのナチスからの解放は、確かにソ連によるものであったが、現在「歴史地区」と呼ばれている地域については、戦後に住民主導の復興が進み、街並みが旧ソ連に見られる社会主義の団地群になることはなかった。

今でも美しいワルシャワの歴史地区は、多くの資料を用いて驚くほど精密に「古都」が再現されている。ワルシャワの復興形態は、古都への回帰であり、その回帰的復興がイコモスに高く評価され、世界遺産に登録された。実際この街は、世界遺産にふさわしい威風を有している。

ちなみに、ポーランドの古都としては、アウシュビッツに併せて既述した世界遺産都市であるクラクフも有名であるが、こちらは戦災を受けておらず、ほぼそのまま中世の街並みが残った。

ナチスに対して全力で戦ったワルシャワは街が一時期灰燼に帰し、一方、占領を受け入れざるを得なかったクラクフは美しい佇まいのままである。このコントラストをどう評価するのかは、ポーランド人にとっても難しいようだ。ポーランドの場合は、18世紀後半に国家が一旦消滅しているため、「外国による占領」という状況に関しては他国にはない複雑な反応がある。ナチスの強権に妥協を余儀なくされ、結果的に伝統的景観が残った街があり、一方でファシズムに対して抗った街があったことも大切な歴史である。もちろんどちらが正しいというレベルの話ではない。ポーランドを旅する時は、単に「街が綺麗だ」で終わらせてしまうのではなく、こうした街の記憶を比較しながら歩いてみると趣深いのではないだろうか。

一方で、戦前とは全く異なる街並みが出現した地域もある。フランスの北西、ノルマンディー地方にあるル・アーブルの街は災害大国である日本の人々にとって、一見の価値がある。日本からこの地域のツアーに参加する場合、モン・サン・ミッシェルを見てパリに戻ってしまうことが多いのであるが、自由時間があれば、是非ともタクシーをチャーターしてこの街に足を伸ばしてみてほしい。

アイゼンハワー率いる連合国軍は、1944年6月に対ナチス作戦として、ノルマンディー上陸作戦を決行する。ナチスは上陸への備えを当然していたわけで、連合国軍はナチス側を叩くために爆弾の雨を降らせることになった。戦略上やむを得ないことではあるが、この時に死傷したフランス人の多くは、連合国の空爆による犠牲者である。

ノルマンディー上陸作戦は、多大な犠牲を出しながらもなんとか成功した。この激戦の様子は、カーンの平和記念館に詳しい展示がある。日本では沖縄を除けば本格的な外国との地上戦の経験がないため、「本土決戦」という言葉を実感なく聞いてしまいがちである。現実に地上戦と一体化した空爆を経験した地域に立ち、博物館の資料を通してその激烈さを知ることは、戦争への理解を深めてくれる。

ル・アーブルの街は、まさに戦争によって灰燼に帰してしまったわけであるが、その復興については建築家である*オーギュスト・ペレが指揮をとった。日本では、彼の名前はそれほど一般的なものではない。しかし、ヨーロッパでは、台東区上野の世界遺産「国立西洋美術館」を設計したコルビュジェ*に比肩する、20世紀の最重要建築家の一人とされている。特に復興をどう考えるべきかという話をする際に、ペレの業績は決して無視することは出来ない。

*オーギュスト・ペレ：1874～1954年。フランスの建築家。鉄筋コンクリート構造建築の主要な開拓者の一人。主な作品に、「サント・テレーズ教会」「エコールノルマル音楽院のコンサートホール」など。

*コルビュジェ：1887～1965年。ル・コルビュジェ。スイスで生まれ、フランスで活躍した建築家、都市設計家。「国連本部ビル」「ユニテ・ダビタシオン」などで知られる。

ペレは、ル・アーブルの街の再建にあたって、20世紀文明を象徴する素材である「コンクリート」をあえて選んだ。日本ではコンクリートという言葉が公共事業と密接に結びつくためか、否定的な文脈でこの用語が使われることもままあった。特に民主党が政権を奪取した2009年の総選挙では、「コンクリートから人へ」というスローガンが掲げられ、多くの人々の賛同を得た。しかし、冷静になって考えてみれば分かる通り、コンクリートは単なる素材に過ぎず、使い方次第で活かすことも殺すこともできるわけで、それそのものに罪があるわけではない。もちろん、民主党が用いた「コンクリート」なる言葉は比喩であり、無駄な公共事業の象徴に過ぎなかったわけであるが、それでもやはりコンクリートという言葉の響きが持つ語感が否定的なものになってしまったことは否めないであろう。

ペレは街並みを再建するというよりもむしろ、伝統文明を破壊した20世紀の近代戦争に対して、20世紀の文明を象徴するコンクリートの力で復興を試みた。

ヨーロッパの古い街を旅してみれば分かる通り、街並みといえばレンガや石造りの建物と石畳で構成されるのが常であり、近代科学の産物であるコンクリートは終戦直後、一段低い素材として認識されていた。

オーストラリアのキャンベラやブラジルのブラジリアなど、もともと何もなかった場所に新しく都市を作るのであれば、コンクリートを使うという選択も驚かれなかったのであろうが、ヨーロッパの港町として美しい景観を誇っていたル・アーブルにコンクリートという素材を用いたこと自体が衝撃的であった。

街を歩きながら少し詳しく見ていこう。戦禍を被った地域では、しばしば広い道路が整備されて計画的な住宅配置がなされるのは、洋の東西を問わない。ただ、ル・アーブルでは、そのアパート群の一階に商店を置き、賑わいの創出を図った。さらに、街の象徴となる建物である教会をコンクリートで作り、全く新しい概念の建造物を創出したのである。

ペレにより建てられたコンクリートのサン・ジョゼフ教会はル・アーブルの象徴

再建は１９６４年まで続き、戦後復興としては完成を迎えることになる。

そしてこのペレが作り出した「復興の街」は、その都市計画が高く評価され、２００５年に世界遺産登録を迎えることとなった。単に、年数だけを考えると、なんと40年程度で世界遺産になったのである。

「復興」後の陸前高田の状況（写真提供：共同通信社）

ル・アーブルの復興を考えた際に、東日本大震災後の街づくりにおいて、50年後の「世界遺産」が全く論点にならなかったことは少々寂しい思いもする。もちろん、被災者の方々の厳しい生活は承知しているわけであるが、震災の教訓を未来につなぎ、復興を実りあるものにするにあたっては、ル・アーブルのような先進事例を手本とした世界遺産化への視座を持つべきであったのではないだろうかとも考える。

特に、陸前高田の復興にあたっては、それまでの住民生活の痕跡が高台移転と防潮堤の工事によって消失してしまい、住民たちから「コンクリートが街を壊した」という嘆息も耳にする。陸前高田を含めて、高台移転を余儀なくされた被災者たちの「私達のふるさとは一度目は水に奪われ、二度目は土に奪われた」という言葉にあらわれているように、土木工事への嘆きの声は相応に大きいのだが、国や自治体としても、復興事業を止めるわけにはいかないという現実がある。もちろん、被災者自身も復旧・復興の必要性は十分に認識しており、工事そのものを否定するわけではない複雑な心情も矛盾の中に共存する。

筆者としては被災者たちのまさにアンビバレントな心情への一つの応え方として、コンクリートによる復興の街であるル・アーブルの事案は励ましの一つになり得たかもしれないと考えている。どだいコンクリートという素材自体に問題があるわけではなく、大型の防潮堤を作り、高台への移転に疑念があったとしても、それが新しい価値を創造し得るのであれば、単なる土木工事を越えた期待が寄せられたのではないかとも感じる。

日本で、そして日本から考える

次に、やはり世界遺産である日本の「原爆ドーム（世界遺産としては「広島平和記念碑」であるが、以下通称の「原爆ドーム」を用いる）」を比較検証して、多面的に復興を論じていきたい。

東日本大震災の遺構の保存に関して、原爆ドームが引き合いに出されることはしばしばあった。原爆ドームの存在こそが、原爆の悲しみを後世に伝えるという論理である。しかしながら、このロジックは、かえって被災者の心を頑なにしてしまったケースも見られる。蓋《けだ》し、「戦争と災害は違う」との主張には一理ある。さて、被災者のこの率直な意見にダークツーリズムはどう向き合うべきだろうか。

確かに、人為的な被害である戦争と、自然災害は完全には同列に捉えられない。一方、20世紀末に、ダークツーリズムという概念が登場し、これがまたたく間に人々の心を捉えたところには、ある種の必然もある。それまで、戦争の跡を巡るWar tourism《ウォー ツーリズム》や災害の地を対象としたDisaster tourism《ディザスター ツーリズム》、そして虐殺の地を訪ねるGenocide tourism《ジェノサイド ツーリズム》といった旅の形態は個別に研究されていたのであるが、Dark tourism《ダーク ツーリズム》という包括概念が提唱された背景には、その個別の事象にある種の共通性が読み取れるからであった。

自然災害と戦争を同一視は出来ないものの、肉親を失った悲しみは原因が何かを問わない。また、東日本大震災の後、各地で多くの遺族が訴訟を起こしているが、これは避難誘導のミスなど人為的な要因に基づくケースが多い。さらに、福島第一原発事故は、確かに

三重津海軍所跡。客観的には河川敷が広がっているだけなので、価値を捉えにくい

津波災害を直接の原因としているが、潜在的に危険を有する設備が存在したことは、全くもって人の手によるわけであるし、防潮堤の高さが足りなかったのは人工物が有していた欠陥であった。

こう考えてみると、現代では自然災害と人為的な被害の間で明確な線引きをすることが難しいということにも気づく。人類が生きていく上で遭遇してしまう多種多様な悲しみを俯瞰的に捉え、その核心部分を構造的に後世に伝えようとするダークツーリズムという営為は、様々な危険に溢れた現代世界を新しい視点から考え直すための有効な方法論であろう。

もちろん、個別の災害や危難における事情をいたずらに混濁させるべきではない。ただ、戦争遺構について鑑みたとき、モノが持つ情報の伝達力を軽視することもやはり出来ない。Hiroshima と Nagasaki の原爆を検索してみても、前者において多くの検索結果が得られてしまう点は、単に「史上初」というだけでなく、象徴的な構造物が残存したこととも無縁ではない。

逆に、ポジティブなストーリーがあり、考古学的な発掘によってその存在が確定されても、構造物が存在しない場所では記憶の承継は弱くなる。「明治日本の産業革命遺産」として佐賀県において登録されている「三重津海軍所跡」*は、そもそもは19世紀半ばにおいて先端的な造船を行っていたはずであるが、現状ではこの地はただの河川敷となっている。どんなに素晴らしい来歴を有する場所であったとしても、そのすばらしさを伝える構造物がないところでは、どうしても記憶の承継力は弱くなる。

*三重津海軍所跡：佐賀市南東部にある佐賀藩の海軍養成所およびボイラー製造所跡。開設は１８５８年。１８６５年には国産初の蒸気船を建造した。

被災地の人々に、遺構を残すべきであるという説得をする際に、すでにシンボリックな存在となっている原爆ドームを例として挙げたところで、既述の通り「それとは違う」という声が湧いてくるのであるが、三重津海軍所跡を始めとして、「何もないところ」を見せた時、モノがなくとも記憶がつながるというのはかなり難しいのだと分かってもらえる。遺構とは記憶が化体《かたい》された存在であることが、遺構の無い場所の例によって理解されるのである。

比較から見えてくるもの

戦争に関連した世界遺産であっても、ル・アーブルと原爆ドームでは全く意味が異なっている。ル・アーブルは廃墟から作り上げた街の都市計画が世界遺産に登録されたのに対し、原爆ドームはいわば「廃墟」の部分が遺構として登録されている。では、戦時の記憶を残すための遺構であるならば、広島とアウシュビッツが同じかと言えば、大量虐殺という点では類似点が見られるものの、原爆ドームは元々広島県産業奨励館と呼ばれた都心の産業振興の施設であるのに対し、アウシュビッツは郊外に作られた政治犯収容所に端を発しているという点でやはり同視できない。世界遺産を訪れる際には、点としてその対象を見るのではなく、まだ見ぬところも含めて複数の世界遺産を比較検討することで、立体的に人類史を再構成することが重要である。

原爆ドームの今後を考えた時、この施設の世界遺産化に関しては、ル・アーブルのような都市計画、もっと平たく言えば街づくりが登録対象ではなく、あくまで〝戦災の残骸〟としての原爆ドームに遺構としての価値が認められた点については、この広島の将来を縛

「原爆ドーム」と私

る方向にも働きかねないという懸念を持つ。ル・アーブルは現代の都市計画が登録対象であるからこそ、街の変化が前提とされており、多くの住民によって街のイノベーションが行われてきた。

都市が変化し続ける存在であることを前提とした場合、広島という街が発展を続けているのに対し、かつて中心部の商業地帯にあった産業振興の館を、１９４５年8月6日の姿にとどめ、営利活動はもちろん芸術文化活動に関しても厳しい規制をかけることが是かという議論が近年生じている。原爆ドームの近隣で牡蠣小屋を営業して良いかとか、冬にイルミネーションを灯して良いかなど、新しい試みには必ずと言っていいほど反対が起こる。

興味深いのは、政治的には「革新」と呼ばれる側が、原爆ドームをそのまま残すことに賛成し、「保守」とされる人々が、原爆ドーム周辺での新たな取組に理解を見せることが多い点である。この種の論争に関しては、戦後70余年を経て、原爆投下前の商業地域としての状況も含めた長いレンジで原爆ドームを見ていく必要があろう。

２０１６年に公開され、若者層から大きな支持を受けたアニメ映画*『この世界の片隅に』の冒頭部分は、商業地区として栄えていた原爆投下前のドーム周辺の中島町が描かれている。もちろん、多くの軍人も登場し、広島が巨大な軍都であったことがわかる。映画の後半では、広島に原爆が投下されたエピソードが挿入されているのだが、多くの日本人にとって広島は「原爆の街」であって、それ以前のイメージに乏しい。この映画の秀逸な点は、広島を単なる悲劇の街ではなく、繁栄の時代との連続性の中で描き出している点である。それゆえ、説教臭や押し付けがなく、鑑賞者は無理なく「幸せな生活が原爆によって破壊された」という悲劇を受け入れられる。

＊『この世界の片隅に』：片渕須直監督。２０１６年に公開された長編アニメーション映画。

こうした連続性の中で地域を捉えようとする視点は、戦後の復興過程に対しても必要だろう。被爆を経験した後の広島は平和都市としてのアイデンティティを確立し、世界的な平和運動の拠点となった。この発展の歴史を鳥瞰的に眺めてこそ、この街の持つ本質的な価値が浮かび上がってくる。原爆によって吹き飛んだ街は、新たな都市計画が策定され、丹下健三の構想による平和記念公園は多くの人々の憩いの場となっている。被爆直後の広島は、放射能の影響のために数十年は人が住めないのではないかという予測もあったが、幸いなことに現実はそうした悲観論を打ち崩すこととなった。

現在、原爆ドームは世界遺産登録されており、その価値は「被爆遺構」という歴史的な意味付けから評価されている。一方、ドームにつながる平和記念公園を含む周辺部分は、世界遺産である原爆ドームを守るためのバッファーゾーン（緩衝地帯）の指定を受けているに過ぎず、そこに独自の意義が認められているわけではない。

しかし、広島という街が持つ核心的価値は、70年以上前の被爆の記憶だけでなく、「草木も生えない」と言われた焼け野原からの復興過程にも存在する。平和記念公園を含めたエリア一帯や、都市計画自体が世界遺産の対象となることには十分な合理性が存する。世界遺産の仕組みには見直しの手続きがあるわけで、こうした積極的な再構築は、未来志向型の新しい広島の価値を生み出すことにつながり得る。

では、どのような方策を取れば良いであろうか。これまで、原爆の悲劇は当事者の語りに重点をおき、被害者の視点からのコンテンツ設計が行われていた。ところが、残念なことではあるものの、被爆者の高齢化が進み、直接の語りを聞くことが難しくなってきている。そうであるとすれば、当事者性とは別の観点から悲劇の記憶をつなぐ必要性がある。

具体的には、現状、点として世界遺産に登録されている原爆ドームを軸に、周辺の被爆遺構や、平和記念公園そのものを含めた「街づくりの復興過程」を世界遺産に追加的に登録させるべく動いたほうが良いのかもしれない。

広島の街が発展を続けている以上、原爆ドームの意味付けも進化していくはずである。その進化を肯定しない限り、現在の中高年が主体となっている平和運動は若い人たちにリーチしなくなるかもしれない。

また復興のダイナミズムの中に、地域としての広島の価値を認めようとする立場からは、より柔軟な考え方も出来るのではないだろうか。つまり、戦前から商業の街として栄えてきたこの地域と、戦後の経済発展は何ら矛盾するものではなく、『この世界の片隅に』と同様、原爆の惨禍が存在したことを街の歴史として連続的に捉えることで、「原爆とは何か?」という根源的な問いを各自の視点で主体的に考える契機になることも期待できる。こうした地域が有する連続性のダイナミズムの中で、牡蠣小屋やイルミネーションについても捉え直すこともできよう。現状、点として世界遺産に登録されている原爆ドームが存在する〝ヒロシマ〟を、より広角的に捉えることで、復興過程を含めた都市としての新しい価値と未来が生まれることが期待される。

そして、広島の復興過程が世界遺産登録の対象となるのであれば、それはやがて、東日本大震災を始めとする、災害からの「復興」についてもアイデアをトレースすることができる。「復興」が世界遺産になり得るという認識の下、単に点としての構造物に関係する悲劇の承継ではなく、面としての広がりを持った地域イノベーションが望まれる。こうした復興のストーリーが世界遺産登録に繋がるとすれば、各被災自治体も百年先を見据え、長期的視野に立った大きな復興の物語を考えるようになっていくであろう。

第7章　コロナ禍で考える世界遺産

さて、「世界遺産とダークツーリズム」というテーマに沿った本書であるが、この章で一応のまとめとなる。最後に、今後の世界遺産と観光との関係性について考察しておきたい。

新型コロナウイルスの影響

毎年、狂騒曲のように騒がしかった世界遺産招致レースも、２０２０年は、極めて静かなものとなり、日本を含めてどこからも新規に登録されないという珍しい事態を迎えることになった。

これは取りも直さず、新型コロナウイルス感染症（COVID-19）が猛威を振るったからであり、各国は世界遺産戦略を見直すというか、むしろそれどころではない事態に陥った。

本書の随所で述べてきた通り、世界遺産は事実上観光資源として機能している。しかし、新型コロナウイルスの蔓延は、国境を閉ざしてしまった。特に、これまで国境を意識しないで行き来できたシェンゲン協定加盟国（多くはEU圏と重なり、往来にパスポートコントロールがない仕組み）においても、突然国境が復活し、自由な移動が制限されることになった。こうなるともはや観光どころの話ではない。

日本でも、２０２０年の4月、5月は移動の自粛が強く求められ、飛行機に乗ろうものならまるで「非国民」の扱いを受けるようになってしまった。

日本国内の観光は、元々日本人による消費が主流で、インバウンドによる外国人消費は2割程度しかなかった。ただ、観光産業の経済規模は直接効果だけでも例年25兆円程度はあると言われており、単純計算としてはそのうちの5兆円程度が吹っ飛ぶことになるので、無視できる規模ではない。実際、２０１９年には３２００万人程度いたインバウンドの人数が、２０２０年の4月以降は事実上ゼロに近い数値になってしまい、観光業界は苦境に立たされた。

マイクロツーリズムとの相性

こうした状況下、星野リゾートを起点として、「マイクロツーリズム」[*]なる構想が打ち出されることになった。これは近場の地域の価値を再発見して、旅を楽しもうとする試みで、ある意味で理にかなっている。というのも、日本に入ってくる観光客がいなくなるのと同様に、日本から出ていく観光客もいなくなるので、これまで海外旅行に出ていた高所得層を取り込めるのであれば、日本の観光産業は命脈を保つことになる。

＊マイクロツーリズム：星野リゾートは、「遠方や海外への旅行に対し、3密を避けながら地元の方が近場で過ごす旅のスタイル」を提唱している。

　私も2020年に寄稿したムック本（『これからどうなるコロナ新生活』〈大洋図書〉）で、「コロナ禍の国内観光は〝安・近・短〟（安くて、近くて、短い旅）から、海外旅行好きであった富裕層を取り込むことで〝高・近・長〟（高くて、近くて、長い旅）になる」という主張を展開した。

　とは言うものの世界遺産による観光振興は、世界遺産を使って誘客し、沢山の人々が来ることでお金を落としてもらうという構図が一般的である。マイクロツーリズムについて星野リゾートにあてはめた場合、そこでは客単価の高い富裕層に十分なもてなしをするわけで、人数を重視する世界遺産型の観光振興とは相性が悪い。そもそも、「地域の隠れた魅力」であれば、現状では世界遺産になっているはずがないので、「世界遺産でマイクロツーリズム」というのはかなり無理がある。

　一方、本書のもう一つのテーマとなっているダークツーリズムについては、マイクロツーリズムと接合性が良い。というのも、ダークツーリズムは地域の影の記憶を観る旅であり、これまで日本ではそういった類の観光開発はされてこなかった。本書を楽しまれた方は得心されるであろうが、ダークツーリズムに基づく観光行動は、観たあとにじっくり考える時間が必要であり、客層は必然的に長期滞在者となることが多い。また、この手の旅はいわゆる「教養観光」の一種であるため、そもそも高学歴で生活に余裕のある層が楽しむことになる。

つまり、ダークツーリズムを楽しむ層は、客単価の高い人々であり、観光産業にとっては実は好ましい対象ということになる。これはエコツーリズムとよく似ていて、自然環境を重視した、「意識の高い旅」は、カツカツの低予算ではなかなか享受することが難しく、高学歴の富裕層が客のボリュームゾーンとなっている。これまでダークツーリズムに関しては、地域の暗部を扱うため、マーケティングが難しく、それ故、観光開発の観点からあまり顧みられることがなかったが、「上客」であることが分かれば、風向きは大いに変わるであろう。

マイクロツーリズムでは、従来知られていなかった地域の魅力を発見することが重視されるため、ダークツーリズムというこれまであまり馴染みのなかった方法論を用いて、地域の新しい相貌を掘り起こすことは、近隣の富裕層に対して新しい観光資源を呈示することになる。これまでダークツーリズムによる観光開発は、特に地方都市において「なぜわざわざ恥を見せないといけないのか？」という抵抗感が強かったわけだが、訪れる客層のレベルが分かれば、認識は劇的に変わってくることが予想される。大切なのは、提供する側がゴシップやオカルトにとどまらず、より本質的な分析の視点を提供することであり、もしダークツーリズムによる新規の観光の掘り起こしができるのであれば、観光の社会的地位そのものも、遊びや娯楽といったまさに「不要不急」のものから、人間にとって「欠くべからざる営為」として捉えられるようになるかもしれない。

観光は経済を回すのか？

　コロナ禍において「ＧｏＴｏトラベル」という観光振興策が実施されたわけであるが、この理論的な根拠は観光が地域経済にとって欠くべからざる要素であるという考え方であった。この発想は一面では正しいのだが、実は丁寧に考えてみると、必ずしもそうとはならないケースが多々あることに気づく。

　人気のある観光地はどこもにぎやかに見えるものの、観光は時には貧困を固定化する作用を持つ。観光は、第三次産業に分類されているけれども、その内実は知識集約型の産業ではなく、極めて労働集約型の構造を持っている。有り体に言うと、観光産業の現場では、体を使うことが重視されることになる。

この傾向は、21世紀に入り新自由主義が伸長するとともに、サービス産業の「高度化」が進むにつれて、より顕著になってきている。全国チェーン型のホテルや飲食店の増加と比例して、労働内容がマニュアル化されるとともに従事する者の裁量の余地は減っていった。その結果として、各労働者は置き換え可能なパーツとなった。こうした産業構造を持つ地域では、大学等の高等教育を受けていなくとも雇用の受け皿があるため、比較的若いうちから就業が始まり、低賃金で不安定な雇用に就くケースが多い。

ちなみに観光立県として知られる沖縄県の大学進学率は低く、２０１９年度の統計ではじめて40%を超えたことが県内ニュース（「琉球新報DIGITAL」２０１９年８月９日10：18リリース）になった程である。ここではわかり易い例として沖縄を挙げているが、観光に頼る地域は多かれ少なかれこうした困難を抱えている。

もちろん政府も地域も改善する必要性は感じており、各地の国公立大などで観光を専門的に教える学部・学科を増やしてはいる。但し、現状ではまだ道半ばといった状況であり、今後に期待するところである。

観光産業における雇用構造の問題は、世界中どこに行っても普遍的に見ることが出来る。

例えば、世界的な観光地として知られるアンコールワット*があるカンボジア・シェムリアップの街は、一見したところ大変賑わっているようにも見える。ところがご承知の通り、カンボジアは20世紀後半に激しい内戦に見舞われており、内戦終結時には当然十分な民族資本が育っていなかった。現在、アンコールワット観光のために作られた観光ホテルは外資によるものが多く、国内ブランドは確立していない。これが何を意味するかと言えば、外国人観光客は確かに１９９３年の約12万人から２０１８年の約６２０万人まで驚異的に増加しているものの、この国で消費されるカネは外資系企業を通じて海外に流れ出てしまい、現場で働くカンボジア人たちはいつまで経っても安い手間賃でこき使われるだけで、「国富」が蓄積されにくい。

＊アンコールワット：カンボジア北部、シェムリアップにある石造寺院遺跡。12世紀初め、クメール王朝スールヤバルマン2世の治下に建立された。

では、植民地経験がなく、民族資本が存在しているタイはどうだろうか。タイは、観光収入への依存度が高く、２０１８年は４０００万人弱の観光客を迎えた。それで、国民が豊かでハッピーであったかと言えば、世界銀行の推計値で２００７年までは貧富の差を示すジニ係数*が０・４を超えており、こうした社会での現場労働者は、まさしく底辺労働者が搾取され、富裕層に恩恵が流れる状況であった。近年、製造業が拡大し、中産階級が伸長したことによって、タイのジニ係数は低下傾向にあるが、観光客が多く、観光に関する金が回っているからと言って、その地域の人々が経済的に安定した生活を送れるかというと、それはまったく別問題であることは認識しておきたい。ちなみに、先程例として挙げた沖縄県の2014年のジニ係数は0・325で全都道府県の中でも最も高い。

＊ジニ係数：例えば完全平等社会であれば0、完全不平等社会であれば1となる。

貧しい人々が暮らし、お金になる観光産業が手近にある場合、若いうちからアルバイトなどで就業してしまう結果、必然的に勉強時間も減るわけで、大学等の高等教育を受ける機会も失われてしまう。こう考えると、観光地における労働力の実態は、世代間における貧困の連鎖が生じていることになるので、単純に観光客が増えて、その地域が豊かになって嬉しいという話にはならない。

私はまさに観光を研究しているが故、世界中の観光地を訪れる。ただ、沖縄を始めとして観光を楽しむことがその地域の支えになっているのであろうかといつも煩悶しながら歩いている。

2004年当時のシリア・ダマスカスの街角

独裁国家における観光

貧困問題の他、世界遺産の観点から経済を考える上で重要な論点として、独裁の問題がある。筆者は、内戦前のシリアを訪れ国際学会に参加し、ついでに短い旅行を楽しんだ経験もあるが、あの国がとりもなおさず典型的な独裁国家であることは論を俟たないであろう。そうした国を訪問し、お金を使うということは、間接的にであれ、その国を支援することになる。もう少しわかりやすく言えば、例えば読者諸氏が北朝鮮に行って観光を楽しむということは、独裁者を豊かにすることに寄与することになるので、その旅自体が民主主義への冒瀆に捉えられるかもしれない。

ただこの点に関しては、複線的な議論があることに注意したい。北朝鮮、シリア、イランなどはアメリカを始めとする自由主義国家から目の敵にされており、仮に日本社会において北朝鮮に旅行した経験を持つことが知られてしまうと、非国民の誹りを受けるかもしれない。とは言うものの、毎年観光で北朝鮮を訪れる日本人は相当数に上り、ネットを検索するだけでも取扱業者を容易に見つけることができる。

前に述べた通り、そこで支払う金が独裁者を豊かにするというマイナスの側面があるとともに、まったく異なる観光の効用も知られている。それは、観光客に門戸を開いている場合、カネとともに情報の出し入れが必然的に生じるという点である。

1980年代の終り頃、東欧の社会主義国が次々と倒れ、91年には総本山であるソ連自体が解体されてしまった。社会主義体制の崩壊にはいろいろな理由が複雑に絡み合っているのだが、大きな要因として挙げられるのはソ連がゴルバチョフ時代に入って以降、西側の旅行者が東欧にも行きやすくなり、旅行者を通じて西側の自由な雰囲気や資本主義社会の情報がもたらされた結果、東側の自由への希求の流れは拡大し、大きなうねりとなっていったことが大きい。換言すれば、各観光客がまるでメディアのように西側の状況を東側に伝えていたのである。西側から来た高価格帯の観光客は、収益をもたらすとともに、自由化の精神も伝えてしまった。

こうした観光による平和構築の効用についてはＵＮＷＴＯ（世界観光機関）も一部認めるところであり、先述のイランや北朝鮮といった場所への観光は、確かにある種の「資金援助」に見えないこともないが、人が出入りすること自体、「自由へのあこがれをもたらす」という意味で大きな意義を有していることになることは押さえておきたい。

北朝鮮の世界遺産としては、*高句麗古墳群と*開城歴史遺跡地区が登録されており、こうした世界遺産があることによってユネスコとの繋がりも保たれ、そこから人の流れが生まれてくる。北朝鮮の民主化については、かつての東欧の民主化を鑑みると、完全に孤立させておくよりも、自由圏との繋がりによって、内部からの瓦解を期待するという考え方も成り立つかもしれない。

＊高句麗古墳群：首都ピョンヤン（平壌）市と隣接するナムポ（南浦）特級市にある高句麗王朝後期の王と王族、貴族の墳墓。

＊開城歴史遺跡地区：南部のケソン（開城）市にあり、王宮の基壇、南大門、善竹橋など、10世紀から14世紀の高麗王朝時代の12の文化財からなる。

観光から見た世界遺産と文化、そして外交

さて、今後の世界遺産と観光に関して俯瞰し、本論を閉じることにしたい。

世界最大の観光都市と言えばまず間違いなくパリであろう。コロナ前は年間５０００万人が訪れていた。パリにはルーブルやオルセーと著名な美術館が数多く建ち並び、凱旋門やエッフェル塔といったいわゆる「インスタ映え」する名所もあまたある。

ではフランス政府は、あくまでも経済政策の一環として観光振興をしているのかというと、そこには文化を通じたしたたかな外交戦略が垣間見える。

フランス政府の文化関係の予算は数え方にもよるが、ここでは文化庁が２０２０年に発表した「諸外国における文化政策等の比較調査研究事業報告書」に基づき、「文化関係の役所にかかった経費」ということで、およそ４４００億円が支出されていると考えてみよう。同時期の日本のそれは１２００億円弱なので、フランスに比べて４分の１強の支出ということになり、「フランスは文化に理解がある国」と解釈される。このロジックは間違っていないのだが、フランスは何も趣味に金を使っているわけではない。仮に、フランスから〝文化〟を取り去ってしまった場合、この国のイメージはどうなるだろうか。もっと

わかりやすく例えれば、私が学生時代を過ごした京都や、現在暮らす金沢の街から〝文化〟の華やぎが無くなってしまうと、ただの田舎町になってしまいかねない。私自身は、10年近くを過ごした京都の街があまり好きではなかったが、圧倒的な文化力を以て、東京や大阪を見下すその姿勢は、ある意味で驚嘆に値した。多少、金を儲けたからといって、冷ややかに「景気いい話でよろしゅうおすなあ」と述べるその響きには、田舎者が集まって東京で展開されるビジネスという金儲けをどこか揶揄する感がある。

フランスも現在の超大国アメリカに対して、やはり冷淡に構えたところがあり、「世界一のＧＤＰとは言っても、文化の力がね」とでも言いたげな微妙な関係がある。アメリカはトランプ政権下でユネスコから脱退してしまい、またユネスコの本部がパリにあるという点からも両国の緊張が窺い知れるであろう。ちなみに、パリと姉妹都市になるのはかなり大変で、パリ側が日本において同格と認めてくれたのは、首都東京と文化都市である京都の2都市に過ぎない。

ルーブルに行っても、ベルサイユに行っても、フランスという国家が「凄いだろ、凄いだろ」と押し迫ってくる感じがして、最後は「もう堪忍してください」と言いたくなってしまう。豪華絢爛たるヨーロッパ文化の威圧は、観光客をして、「フランスには敵わない」

という気持ちを抱かせる。オリンピックを始めとする国際大会の公用語が、基本的に英語とフランス語であることは、フランスが現代でも決して侮れない大国であることの証左であろう。

観光客はパリで1週間も過ごせば、文化の力を用いて大国の地位を維持するこの国のしたたかさに舌を巻くことになる。つまり、フランスは、外交上のプレゼンス、文化政策、経済活動、観光誘客が国家戦略として不可分一体に機能し、その中で世界遺産であるベルサイユ、モン・サン・ミッシェル、（残念ながら近年焼けてしまったが）ノートルダム寺院を含むセーヌ河岸などが有機的に活用されている。

2015年に撮影したパリのノートルダム寺院。写真後部の尖塔は2019年の火事で焼失

翻って我が国を考えたとき、そ

こには、世界遺産で観光客を呼び込もうとする短期的なお金の話は見えるけれども、あまりに近視眼的な思考に陥っていると言えないだろうか。

また、2020年にいわゆる「文化観光推進法」が制定され、博物館や美術館が明確に観光対象として位置づけられることにはなったのであるが、そこには「稼ぐ」という視点はあるものの、文化と観光の力を用いて、国家としての威信をいかに高めるかという戦略は見えにくい。文化の威圧を外交戦略として活用しつつ、同時に観光で金も稼ぐ構造になっているフランスの老獪さは、学ぶべきところが多い。そして、その世界遺産に関しても、6章で詳述したル・アーブルなど、戦争の傷を始めとするいわゆるダークツーリズム的な要素も含み、広がりを持った歴史の捉え方を可能にしている。決して、「街の自慢」を見せるような話には終わらせていないのである。

日本の場合、文化人の中に、「観光」という言葉を忌み嫌う者が多く、昨今文化庁が美術館を観光活用するように声をかけている状況を見て、「嘆かわしいことだ」と考える向きもある。彼らは文化を政治や経済と切り離した存在として愛でることが多いのだが、当のフランス自身はかなり戦略的に活用しているということは押さえておいて良いだろう。

これはもちろん我が国がフランスの劣化コピーになることを推奨しているわけではない。

何度か書いたように、これまでの世界遺産の登録制度には、西欧文明中心主義や政治による歪み、さらに観光振興を重視するために生まれてしまった各種の問題があまりにも大きく、このままこの制度を拡張していって良いものかという点に、大きな疑念を感じざるを得ないのである。

筆者は、世界遺産という制度自体を否定してはいない。今後の日本の世界遺産のありかたを考える際には、短期的な誘客や街おこしだけでなく、国の外交戦略の中に文化をどう位置づけるかという観点から、これまであまり活用されてこなかったダークツーリズムの視点も踏まえ、新しい枠組みが提起されることを期待したいのである。

付章　カリブの旅

本章では、他章と異なり、私が実際に訪れたカリブ海の西インド諸島の島について、時系列に沿ってレポートする。本来的な意味でのまさに「紀行文」であり、旅という営みが持つダイナミズムを感じ取っていただければ幸いである。テーマは、もちろん「世界遺産とダークツーリズム」である。観光を専門に研究する者が、世界遺産をどのように意識しつつ旅をしているのかという点について、自分を内省する意味でも少し詳しく記述してみた。

2章から6章は、かなり「偉そう」に記しているが、これは紀行を後から再構成して論評を加えているからであり、リアルタイムで受け止めている瞬間は、ダークツーリズムといえども、やはり「旅」であることがわかる。ダークツーリズムという考え方は、全てが影の要素から成り立っているわけではなく、移動を通じて多面的に地域を捉え直す手法であることが伝われば幸いである。

カリブ海への逃避

金沢大学に奉職するようになってから2年目となる２０１９年の冬、私は、ハーバード大学で在外研究に打ち込む機会に恵まれた。留学経験のなかった私は喜び勇んで、現地に向かうことになった。

　ハーバードのあるボストンは、アメリカ合衆国でもかなり北の方にあり、冬は掛け値なしにとても寒い。はじめのうちは一生懸命勉強していたのだが、１ヵ月を過ぎた辺りから、日照時間の短さも相まって、軽いうつ症状がでてきた。本を読んでいても文字が頭に入ってこなかったり、ぼーっと数時間経過することがあったので、このままではまずいと思い、休暇を取った上で暖かい場所へ避寒に出かけることにした。

　問題はどこに行くかである。すでに、ボストンで開催された観光見本市でいくつか当たりはつけておいた。フロリダは確かに暖かいのだけれども、物価の高さから断念。というわけで、アメリカ東海岸から相対的に近いカリブ海が候補となった。

　著名な観光学者、ジョン・アーリによれば、カリブ海は「地上の楽園」としての性質の他、海賊や麻薬といった危険な旅行の雰囲気も有しているとされ、学問的探求の場としても捉えられているようだ。今回の旅は、研究の面からも有意義なものになりそうである。

　具体的にどこに行くかだが、ハイチは、２０２０年の初頭において、無政府状態だそうなので入国は見合わせる。心情的にキューバには惹かれるものの、アメリカのビザを持ちつつキューバに行った場合、再入国がとても大変になると聞いたので、こちらも諦めることなった。ドミニカ、ジャマイカ、バハマ、プエルトリコと心惹かれる多くの島々がある中で、私の目に止まったのは、「ケイマン」と「アンティグア・バーブーダ」なる小国であった。

前者は、「ケイマン諸島」の名で知られる租税回避地（いわゆるタックスヘイブン）で、富裕層の資産を扱う金融機関が名目上の店舗を置いている国である。それほど金持ちではないというか、私の所得水準がどのくらいに分類されるかというと、ボストンの基準では貧困層になってしまうので、富裕層の島に行くのは少し心が惹かれた。実はアメリカにビザを申請する段階で、私は自分の所得を8万ドルと書いていたのだが、これではボストンやサンフランシスコといった物価の高い都市に滞在するには、不法就労を疑われかねないとのことで、滞在費には研究費からのバックアップがあることを明記するなどして、なんとか入国許可をもらったという経緯がある。最近は若いポスドク（大学院博士課程を出て就く、任期制の研究員）を日本からアメリカに留学させようと思っても、日本から支払われる年俸が300万円台ということで断られてしまうという報告が相次いでいる。近年日本の経済力が弱くなったと言われているが、留学準備をしてみると、その状況を如実に肌で感じる。

さて、その私が租税回避地に行くというのはなかなか面白い一発ギャグではないかと思い、ケイマン訪問の可能性を探った。ところが、飛行機代は大したことがないものの、この地の宿泊施設は高級リゾートしかなく、私がよく利用している1万円以下の気楽な宿屋というものが全くなかった。さすがに一発ギャグのために2泊6万円強を使うというのも厳しかったので、こちらは入国を断念した。

もう一つのアンティグア・バーブーダは、名前をいくら唱えてみても、全く想像がつかない。ただ、言葉の響きはどことなくユーモラスである。ネットでちょっと調べてみると、本書のテーマであり、私が研究する世界文化遺産もあるようだ。飛行機代は、エコノミーなら片道2万円程度なので、出かけてみることにした。ただ、流石にこの小さな島だけではもったいない感じがした。そこで地図を見て近所にやはり世界遺産を有するセントクリストファー・ネイビスという国も見つけたので、ここも旅程に組み込み、複数の島を渡りながら旅を楽しむ「アイランド・ホッピング」と洒落込むことにした。

ただ、面白いことにアメリカの観光シーンにおける「世界遺産」の位置づけは驚くほど小さい。アメリカは、2020年当時、そもそもユネスコに加盟しておらず、必然的に「世界遺産？　何それ、美味しいの？」という感じの反応になる。本書の前半部分で何度

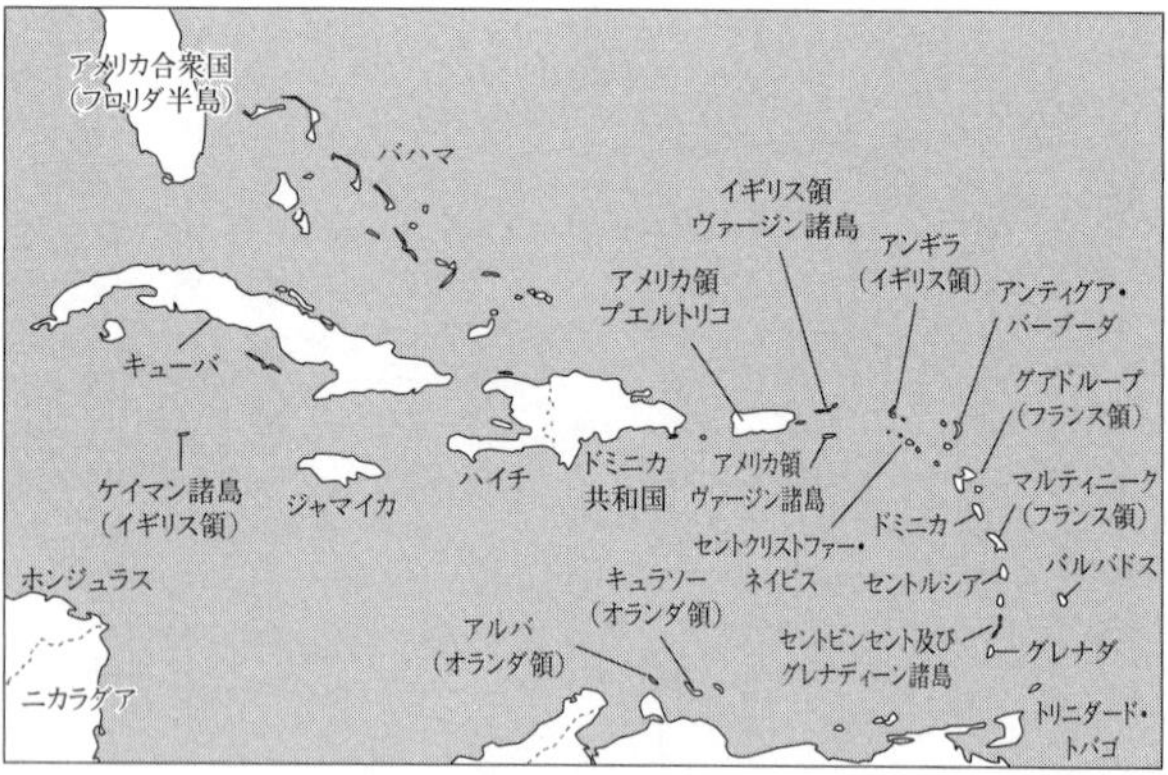

カリブ海地図

か言及しているが、ヨーロッパにおいては文化も外交戦略の一要素として重視されるので、世界遺産についても大きな価値があるのだが、開拓以来のアメリカの歴史はヨーロッパや中国に比べるとあまりにも短く、ヨーロッパと同じ尺度で世界遺産を考えるのは無理がある。自然遺産については大きなスケールの景勝地が登録されているが、文化遺産については先住民の古代文明と離島を除けば、なんと、4つ（独立記念館、自由の女神像、ジェファーソン関係の史跡、フランク・ロイド・ライトの20世紀建築作品群）しか登録されていない。この状況では、世界遺産に国民が関心を持つということもあまりないわけで、私が観光見本市に行って、アンティグア・バーブーダやセントクリストファー・ネイビスの担当者に、「世界遺産にはどうやって行くのか？」と聞いて、怪訝な顔をされたのも頷ける。アメリカ人にとって、カリブの島々というのはあくまで保養の場であって、文化を享受する場ではないのだろう。日本の観光事業者たちは、世界遺産の持つ誘客力にかなり頼っているが、アメリカの観光プロモーション事業ではそれがほとんど役に立たないというのは私にとっては新鮮な驚きであった。

カリブの島々総論編

カリブの島々には、西インド諸島という言葉でカテゴライズされるグループがある。今回の訪問地もそれに属するが、これは元々クリストファー・コロンブスが、インドを探して西に旅したところで見つけた陸地を、やはりインドと思ったために、今に地名が残ってしまったわけである。

島々の歴史をたどるとこれがまた複雑で、大航海時代にまずスペイン、ポルトガルがこの地を席巻し、その後オランダ、最後には英仏が覇権を競った。大局的にはイギリス領が多かったが、20世紀後半の独立直前まで、フランス領やオランダ領のままの島もあったし、今なお独立を果たせない島もある。

私が訪問した2国は旧イギリス領であり、独立を果たしたというものの、尚イギリスの影響は大きい。この2国は、未だに英連邦を構成しており、地元の紙幣にはエリザベス女王が印刷されるとともに、航空会社に関してはアメリカ系や地元ローカルだけでなく、ブリティッシュ・エアウェイズが就航しており、イギリスとのつながりの強さを感じさせる。では、セントクリストファー・ネイビスに足を踏み入れてみよう。

セントキッツ島

セントクリストファー・ネイビスは、セントクリストファー島とネイビス島からなる国家で、前者は愛称としてセントキッツ島と呼ばれることが多い。空港に降り立ち、両替所が見当たらなかったのでどうしたものかなと思ったのだが、タクシーの客引きに聞いたら米ドルがほぼそのまま使えるとのことであった。まあ、考えてみれば確かにアメリカ経済圏であることは間違いないし、小国においては現地通貨よりもドルのほうが通りの良かったことは何度も経験した。アメリカと非常に仲が悪かった内戦前のシリアにおいても、商売人は今後やってくるであろう混乱を予測してドルを求め、現地通貨で払おうとしても断られたことがあった。モンゴルにおいても、外国人が泊まるハイレベルホテルから町の食堂に至るまでドルが使えた。これらはダイヤモンド社から以前出されていた『地球の歩き方』には載っていない情報であったが、ドルが基軸通貨であることを再確認させられる出来事であったし、それがまた世界の現実なのだということを知る良い機会でもあった。

EC（Eastern Caribbean：東カリブ）ドル札。イギリス連邦に加盟しているのでエリザベス女王の肖像があしらわれている

セントクリストファー・ネイビスとアンティグア・バーブーダは、東カリブ海の8つの国と地域で共通して使える「東カリブドル」が流通しており、さすがにこのあたりは政情も安定しているので現地通貨が使えないということはないのだが、米ドルでの支払いは非常に歓迎された。やはりドルという信用度の高い通貨を持っておくことの重要性は大きいことが窺える。

タクシーに乗ってダウンタウンに行き、予約しておいたホテルに投宿する。カリブの青空と海の風景を期待していたので“Sea View Inn”というホテルを選んだのだが、部屋からは海が見えず、そもそも窓も換気用に切ってあるだけで、外の景色そのものが見えないということに気づく。

この島は富裕層のための保養地であるから、私のような庶民はお呼びでないということも今更ながら認識する。ホテルの相場は300ドル程度で、これだけ出せばマリオットホテルなどに泊まれる。100ドル以下だと窓もないので、気分転換に来てかえって体を壊すのではないかという懸念がよぎる。旅行初日から、先を心配させる展開だ。

国立博物館と港町

訪問先の全体像を把握するためには、大型博物館を最初に見学すると良い。ここで概略を摑んで、街歩きに出れば、得られる知識が深くなる。というわけで、ダウンタウンにある博物館をまず訪れる。ここは19世紀半ばに建てられたコロニアルな建築であり、荘厳な美しさを有している。もともとは財務省の建物として使われていた。

この島国は黒人国家であるのだが、もちろん人種的に元から黒人が住んでいたというわけではない。もともとは、ラテンアメリカで見られるタイプの先住民が住んでいたそうなのだが、これがヨーロッパの侵略によって絶滅してしまう。入植した白人たちが奴隷労働力として西アフリカから黒人を連れてきた後、黒人の権利意識や白人の人権意識の高まりとともに、19世紀前半に奴隷解放が行われ、その後、黒人主体の政治権力が出来ていった。

さて、博物館の展示はかなり衝撃的で、まずは先住民に関する展示がほとんど存在しないということに驚かされた。これはオーストラリアのタスマニアに行った時にも覚えた違和感で、シドニーのオーストラリア博物館などでは先住民であるアボリジニに配慮した展示が行われていたのに対し、タスマニア島内の博物館や観光施設では、特にタスマニアのアボリジニに関するまとまった展示が見られなかったのである。これはタスマニアアボリジニが絶滅してしまっていることと無関係ではない。

セントクリストファー・ネイビス国立博物館

　少数民族なり先住民なりの末裔が存命の場合、彼らは自らのアイデンティティを賭して、祖先の存在について世に問うことになる。これは単に学問研究の話ではなく、人間の持つ根源的な本能に近い衝動と言って良いかもしれない。ところが、ある民族が完全に絶滅してしまっていた場合、そこにかつて住んでいた人に対する関心は考古学や人類学的な考察の対象になったとしても、なかなか根源的な生の叫びとして、人種や民族の重要性を語ることには繋がりにくい。かつてその地に、暴虐や弾圧があったとしても、その対象の末裔が生きていない限り、「自分ごと」として悲劇を伝えていくことは事実上難しいと言える。

こういう事情を鑑みると、セントキッツの博物館では、ヨーロッパの侵略によって殲滅《せんめつ》されてしまった先住民の展示は申し訳程度であるというのもやむを得ないかもしれない。では、展示のメインは何かというと、黒人自身の力で白人支配層から自由を勝ち取り、やがて独立に向かっていったという麗しい話であるが、展示内容自体は隣国のアンティグア・バーブーダとコンセプトが重なるので、あとに譲ることにしよう。

ただ、セントキッツ島の博物館について、展示内容以前に少し残念だったのは、モノがほとんど無いという点である。実は、博物館というものは作ろうと思ってすぐに作れるわけではなく、相当長期にわたってモノを集めなければ開館できない。筆者は鳥取市の歴史博物館「やまびこ館」が誕生した時の苦労話を取材し、本（深見聡との共編著『観光とまちづくり——地域を活かす新しい視点——』〈古今書院〉）にしたことがあるが、戦後長い間、市で独自の博物館を設立するという話が具体化されず、後に博物館を作ろうというプロジェクトが動き出した際には、モノが散逸していて、展示を構成するのが大変だったそうだ。

鳥取市の例では、ＮＨＫから映像資料を借り受けたり、明治維新後に北海道に移住した人たちが作った旧鳥取町とのルートを頼りにモノを集めてみたりした他は、当初はパネル展示が多かった。セントクリストファー・ネイビスにおいても、国立博物館の展示がパネルと本や新聞記事のコピーばかりで、モノが見られないのである。同時代の人間にとっては、ゴミに見えるモノであっても、将来的には民俗資料になりうる可能性はあるわけで、公《おおやけ》はモノの収集を平時から怠ってはならないということを思い起こさせてくれる。国民に民族的アイデンティティを自覚させるために、博物館は必須の装置であり、国家という共同体を長期的に維持していくためには、モノが語る歴史の重要性について意識しておくべきであろう。

さて、この博物館が位置しているところは、クルーズの寄港地にほど近く、大型客船が入ってくると、訪問客が連動して訪れることになる。繁華街は、港に隣接して成立しており、レストランを中心とした食事や様々なショッピングもこの周辺で済ませることになる。私はこの島に3日間滞在したが、他に行くところもなかったので最終日以外は基本的にここで過ごした。

クルーズの寄港を見物して楽しめるかと言えば、日本にいるときとはかなり異なる感覚に襲われることになる。それは、クルーズの客と現地住民との間に存在する圧倒的な生活格差が原因である。私は、安いビジネスホテルに泊まって、スーパーで生活必需品を買い、ローカルの人達が飯を食う場所に行っていたので、地元の人達の生活実態がよくわかっていた。クルーズ船が入港すると、キーホルダーなどのちゃちな土産物を扱う行商人が現れたり、楽器の演奏などの大道芸でチップをもらおうとする連中で賑わう。そのシーンは確かに、観光で街が栄えているように見えるのだけれども、豊かなクルーズ客と貧しい現地の商売人や大道芸人という階層構造が見て取れる。もしクルーズを楽しもうと思ったら、こうした現実世界における「格差の矛盾」のようなものには目をつぶって遊ばねばならず、もともと資産家の家に生まれたお坊ちゃん、お嬢ちゃんでもなければ、いろいろ考えてしまってレジャーとして楽しむのは厳しいかもしれない。実は、クルーズ船の船籍は、本章後半で訪問するアンティグア・バーブーダの登録が多い。これは考えてみれば当たり前のことで、アメリカやイギリスで登録してしまうと、基本的に先進国の労働法制の適用を受けるので、それだけ人件費が多くかかってしまう。ところが途上国の場合は、労働者の保護体制も未整備であるため、相対的に安いコストで働かせることが出来る。クルーズという仕組みは、こうした体系的な搾取システムに支えられているとも言えるわけである。

さて、セントキッツ島最終日は、本書のテーマである世界遺産を見学することにし、レンタカーを手配した。

ブリムストーン・ヒルへの途

軽くレンタカーを手配と言っても、それなりに厄介であった。日本やアメリカの常識は全く通じない島である。実は、島に到着した当日に、私は最終日にホテルに配車してもらうべく、ネットでローカルのレンタカーを予約しておいたのだが、約束の時間にロビーに行っても誰もいない。しばらくするとホテルのフロントあてに、業者から電話がかかってきて、車が出払ってしまったので迎えに行けないとの伝言が託されたようだ。いきなりそんな話を聞いても対応は出来ないのだが、カリブの島々は一事が万事こんな調子で、怒っていては生きること自体できない感がある。気を取り直して、再度、ネットでレンタカーを探し、電話で配車をリクエストする。送迎のある業者だったので、迎えに来てもらうことになり、当初の予定からはかなりずれてしまったが、気を取り直して旅への決意を新たにした。ただ、セントクリストファー・ネイビスでも、本章の後半で紹介するアンティグア・バーブーダでも、25ドル程度を払って、「政府発行の臨時免許証」というのを出して

日本の援助で出来た水産加工施設

もらわないと運転が出来ないのである。あらゆるところでカネを落としていく仕掛けになっている。この強かさには学ぶべきところがあるかもしれない。

さて、いささかケチが付いたものの、ブリムストーン・ヒルに向かって車を走らせていくと、途中、突如として日の丸の描かれた壁面に出くわす。東南アジアであれば、日本のＯＤＡ（政府開発援助）絡みの建造物もたくさんあるのだが、まさかカリブ海まで来て日の丸に会えるとは思わなかったので、Ｕターンして取材を試みる。留守番をしていた現地の人によれば、この建物は水産加工施設で、日本の好意で作られたと言っていた。日本語も、「ありがとう」と「さようなら」は通じて、ここと関わった日本人が、現地の人々に非常に深く受け入れられていることを知る。ただ、具体的にどういう経緯でこの建物が出来たのかとか、日本ではどんな立場の人がここに来たのかなどという細かい質問に関しては、「わからない」「知らない」を連発されたので、研究調査に関しては残念ながら深掘りは出来なかった。

私はもともと〝ネット右翼〟という存在からはかけ離れた場で生きているのだけれど、海外で日の丸を見ると、かなり素直にどこかホッとした感情を持ってしまうし、日本人の活躍や日本の国際貢献を目の当たりにすると、やはり素朴に嬉しくなる。普段、ルソーやマルクスも読むので、思想的には完全に左派だとは思うのだが、国家や民族に対して旅先で感じるいわば「同胞愛」とでも言うべき郷愁は、政治的な立ち位置にかかわらず発生はするのだなとちょっと不思議な気にもなる。

取材ではなく、現地で偶然出会う素敵な日本人との邂逅は旅の思い出を豊かにしてくれる。シリアの井戸掘削指導者や、パラオで環境保護運動をやっていた人など、実に様々な出会いがあった。前者のシリアのケースは、もともとは財閥系の企業で技術職をされていた方で、定年後は安泰な再就職先もあったものの、自分の能力を途上国支援に役立てたいということで、ＪＩＣＡ（独立行政法人国際協力機構）を通じて腰を落ち着けたそうだ。確かな技術に裏付けられた貢献は、現地の人々にとってもさぞ心強いものであったろう。

こんなカリブの島にも日本の国際貢献が垣間見え、少し嬉しくなりつつ、最終目的地に向かうことにする。

なお、日本に帰国後、在トリニダード・トバゴ日本大使館に問い合わせたところ、ＪＩＣＡを通して詳細な資料をいただくことになった。この建物は日本政府の支援のもと、２００５年度に水産無償資金協力「零細漁業振興計画」として建設されたもので、正式名称はオールドロード・コンプレックスと呼ばれる施設だそうだ。

実はこの問い合わせが縁となって、ＪＩＣＡの職員の方に、金沢大学で遠隔の講義をしていただく僥倖に恵まれた。国際援助の最前線の生々しい話として、日本からの水産事業の援助は、捕鯨国である我が国への理解を求める契機とも捉えられていると伺った。軍事貢献ができない日本が、如何に国際社会でシンパを増やしていくのかを考える際に、援助は有効な外交戦略となっていることも実感する。

ブリムストーン・ヒル要塞国立公園

カリブの島々は、近代の初期に、英仏蘭などが植民地獲得競争を展開したため、血塗られた歴史がある。ここセントキッツ島でもイギリスとフランスが壮絶な戦いを繰り広げた。その後、この島はイギリスの勢力圏に入り、西アフリカから黒人奴隷を移送して、過酷な統治が始まったことは既述した通りであるが、ダークツーリストの私としては、そうしたいわゆる「負の遺産」を堪能できるのではないかと、わくわくしていた。

ところが世界遺産であるブリムストーン・ヒル要塞国立公園に行ってみると展示内容が異様に明るく、拍子抜けしてしまったのである。そこは17世紀末の植民地獲得競争の惨劇を伝えるのではなく、かつての大英帝国の威光と軍人たちの栄誉を称える場として機能していた。現在は公園として整備されているこの地は、イギリスの支配に入った後、フランスの報復を恐れてイギリスが大規模な砦を整備していった。我々は戦争というと、太平洋戦争末期の日本軍の悲惨な状況を思い浮かべがちであるが、17～18世紀の軍隊というのは当然まだまだ国民皆兵というわけではなく、職業として軍で働く人々が活躍する時代でもあった。本国から遠く、ずっと戦っているわけでもないこの地では、日常の生活もあり、のんびりと過ごす時間もあったし、当然本業としての戦もあった。要塞の砦に組み込まれた資料展示を見ていると、当時の料理やら娯楽やらが説明されていてなかなか面白い。長期の滞在であるから、酒はもちろん重要な要素だったようだ。

そう、ここはセントクリストファー・ネイビスの世界遺産でありながら、実際はイギリスの近代史を扱っているに過ぎないのである。国民の主要層の先祖である黒人奴隷の悲惨

世界遺産ブリムストーン・ヒル要塞国立公園

な話はなく、旧宗主国の栄光の歴史を祀っている。さて、ではなぜ、こうした国のアイデンティティと直結しない場所が、本邦唯一の世界遺産になっているかと言えば、そこは観光との関係性を無視しては語れない。近くの観光客であるアメリカ人のお目当ては、冒頭の節で記した通りビーチなのだが、この島は旧宗主国であるイギリスとの関係もまだ深く、ナショナルフラッグキャリアであるブリティッシュ・エアウェイズがこことアンティグア・バーブーダに乗り入れているのは既述した。つまり、イギリスを始めとするヨーロッパからの観光客に訴求するためには、ヨーロッパの史観に基づいた観光資源としての歴史の解釈が必要となる。

イギリスの観光客をもてなし、楽しんでもらうためには、「大英帝国のやったひどいこと」をあげつらうことが難しい。この国の主要産業である観光を牽引するための仕組みとして、この地の世界遺産はどこか観光客に阿《おもね》ったものになってしまっている。

私は随所で日本の世界遺産政策が観光重視であるために、ある意味で歪んでいるという指摘をしているが、この歪みは何も日本に限ったものではないということに気づいてしまった。考えてみれば、インドネシアのボロブドゥール*やプランバナン*といった著名な世界遺産にしても、説明のパネルにはヨーロッパの探検家や考古学者が発見・発掘し、保存に道筋をつけてやったというたぐいの説明がしばしば見られ、列強の植民地政策の正当化ではないかと感じられることがままある。こう考えると、世界遺産というシステムは、ヨーロッパが自らの権威の維持のために作り出した狡猾な仕掛けであるというのも一理あるかもしれない。

＊ボロブドゥール：ジャワ島中部にある同国最大の大乗仏教遺跡。

＊プランバナン：ジャワ島中部に10世紀頃建造されたヒンドゥー教遺跡。

アンティグア・バーブーダへ

セントキッツ島からアンティグア・バーブーダへは、先ほどのブリティッシュ・エアウェイズのマイレージを使って無料航空券を発券した。値段だけを考えるとローカルの航空会社を選びたくなるかもしれないが、アメリカで事情を調べてみたところ、日付通りちゃんと飛ぶかはわからないという話をよく聞いた。流石に予定通りに飛ばない可能性のあるチケットを買うのはためらわれたので、まあそれよりは遥かに信用できるであろうという判断から英国航空に落ち着いた。

今度はレンタカーも空港で借りられる世界チェーンの大手に狙いを定め、ネットで予約を入れておいた。車を借り出し、途中のスーパーで買い物をして、予約しておいたコテージに向かうことにする。

到着した宿は小洒落ていたがお湯が出なかった。予約サイトに書いてあった携帯番号に架電すると、オーナーはカナダにいるらしく、現地のマネージャーを向かわせるとのこと。ところがいつまで経ってもこないので、何度も電話をかけ続けることになる。オーナーもマネージャーに電話をかけてくれているようだが、とにかく仕事が遅く、2時間ぐらい経ってやってきた。スパナで少し作業をして、「今日は修理できないから、水で我慢してくれ」と言って去っていった。

　そして翌日、観光から帰ってみると、今度は水も出なくなっていた。再び、オーナーに電話をすると、マネージャーの電話番号を告げられ、直接電話してほしいとのこと。怒らないとすぐに対応してくれないので、アンティグア・バーブーダ人を相手に慣れない英語でまくしたてることにする。今度は程なく来てくれたのだが、車で5分ぐらいの他に管理している部屋の鍵を渡され、「風呂とうんこはここへ行ってくれ。小便はそのへんで。食器はあるだけ使ってもらって、洗わなくていい」という話になったので、これまた驚倒する。オーナーに言っても仕方ないのだが、一応事態の報告をすると、すまないと思ってか料金を半額に割り引いてくれた。

　この他、今回の旅行では、スキあらばお釣りをごまかされたり、レストランでは注文したことを忘れられていたり、届いた料理が間違っていたりとなかなかハードで、私にとってはかつて非道い目にあったインド旅行を思い出した。コロンブスがこの界隈をインドと間違えたのも、どこか必然性を感じてしまう。私もここで、多くの困難に遭遇したので、「西インド諸島という名前で良いんじゃないか」という乾いた笑いがこみ上げてくるので

アンティグア・バーブーダ国立博物館

あった。

アンティグア・バーブーダ国立博物館

アンティグア・バーブーダでも、初めての訪問地のセオリーに従い、まずは総合博物館を見てから細かい場所を訪問しようということで、国立博物館を訪れる。アンティグア・バーブーダ国立博物館は、官庁街に立地しており、観光地からはかなり離れている。元々は裁判所の建物だったそうで、こちらも建造物自体はかなり立派である。セントキッツ島と比べて、車の渋滞は激しく、駐車場も混んでいる。

展示物は、セントクリストファー・ネイビスの博物館と比べるとそこそこに揃っており、いわゆる「地理上の発見」以降の歴史については、モノを見ながら時代の相貌を摑むことが出来るようになっている。

カリブの島に実際に来るまでは、ここはヨーロッパ列強が発見し、砂糖製造のために大量の黒人奴隷をアフリカから連れてきたが、19世紀に入ると黒人解放運動が起こり、やがて黒人中心の国家が出来たというストーリーで理解していたのだが、それは白人と黒人を二項対立的に見てしまう日本人の悪いクセに嵌《はま》っていたと言えなくもない。もちろん白人が多層な社会であることは、拙著『ダークツーリズム拡張——近代の再構築』（美術出版社）を見ていただくとわかるのだが、17世紀段階で、カリブの島々には、相当数の「白人奴隷」が連れてこられていた点が興味深い。

法制度的に、借金を返せないという理由で奴隷の身分に落とされた人々は数多くいた。日本でも借金で「納屋」に入れられる話は、明治期の軍艦島などで記録されていたし、古代国家における奴婢の制度などは、人身売買の一類型である。こうしてみると、貧困と強制労働の繋がりは洋の東西を問わない。ただイギリスの近代においては、特に17世紀のクロムウェルの征服以降、金持ちの英国人の下で奴隷化したアイルランド人が数多くいた。こうした人々やカネを返せなくなった債務者が、カリブ海への入植に際しては労働力として送り込まれたのである。

そしてさらに、白人の主人の寵愛を受け、愛人となった黒人女性もいたそうで、この地の身分階層は複雑極まりないものになった。主人である白人男性と使用人としての黒人女性との深い関係は、トマス・ジェファーソン*の伝記などにもでてくるが、西インド諸島では決して珍しい事案ではなかったらしい。

*トマス・ジェファーソン：1743〜1826年。アメリカの政治家。アメリカ独立宣言の起草者で第3代大統領。所有する黒人奴隷の一人であるサリー・ヘミングスと愛人の関係にあり、数人の子供を産ませたとされる。

博物館の展示を見ていると、圧倒的上位層として白人地主がおり、その下に奴隷としての白人移民、そしてさらに下に黒人奴隷が居るわけだが、普段、白人奴隷が黒人を虐待していたところ、黒人女性が主人の愛人になってしまい、下層階級における権力関係がひっくり返る話なども紹介されており、人間の業の深さについては絶望的な気持ちになってくる。

確かに最終的には、19世紀半ばに黒人奴隷が解放されて、黒人主体の国家が出来るのであるが、それまでの過程が「自由と民主主義を求めて」というような綺麗事ではないために、展示に対峙して覚える疲労感は激しい。近代資本主義というシステムは、これほどまでに多くの人間の不幸を作り出したのかと思うと、胃が痛む。とは言え、アンティグア・バーブーダの旅は始まったばかりで、ここで折れているわけにはいかない。翌日に訪問する世界遺産〝*ネルソン提督の港〟の情報を仕入れて、とりあえず宿に戻ることにした。

＊ネルソン提督：１７５８～１８０５年。イギリスの海軍軍人。１７９８年のナイルの戦いで国家的英雄となり、１８０５年のトラファルガーの戦いでフランスとスペインの連合艦隊を全滅させた。イギリスが制海権を握ることになった立役者。

世界遺産「ネルソンズ・ドックヤード」

アンティグア・バーブーダの世界遺産は、公式には「アンティグアの海軍造船所と関連考古遺跡群」と名付けられているが、現地ではこんな言い回しは誰も使わず、皆、「イングリッシュ・ハーバーとネルソンズ・ドックヤード」と呼ぶ。ここが世界遺産に登録されたのは、私が訪問したわずか4年前の２０１６年である。それまでは、文化的な観光資源のキラーコンテンツがなかったことから、教養層相手の観光誘客はなかなか厳しかったのではないだろうか。

この世界遺産は、セントキッツ島のブリムストーン・ヒル公園に輪をかけてイギリスの栄光を礼賛している。日本人にも馴染みのあるネルソン提督が作った軍港が世界遺産の構成資産となっている。ここは、歴史的な価値を認定された建造物に近接して、レストラン・土産物屋・ベーカリーが並び、まるで18世紀大英帝国のテーマパークとも言うべき趣となっている。ここもやはりブリムストーン・ヒル同様、悲劇の記憶を思い起こさせるものはなく、近代のイギリス海軍の勇壮さや日常生活を感じ取れる展示になっている。

完全に観光地化されたネルソンズ・ドックヤード

　大英帝国が作り上げた一大海軍拠点であり、イギリスが主にフランス、一部オランダ、スペインとの植民地獲得戦争に勝てたのはこの港があったことが大きく、ハリケーンの時に船を避難させる港としても機能していたそうだ。

　ここまであからさまに観光を意識した世界遺産は、逆に珍しいとも言えるので、その意味では「眼福」と考えても良いかもしれない。ただ、世界遺産への登録は、一般論として、伝統工芸の部分的復活を促すという点については少々言及しておきたい。

世界遺産として登録された場合は、建造物が壊れたからといって、現代の技術で勝手に修繕して良いわけではなく、「元に戻す」ことが大前提となる。伝統的な構造物を再建するには、関連する技能職を育てなければならず、こと世界遺産レベルに至っては、未来永劫にわたって技能・技術の伝承をしないといけない。これは宮島の嚴島神社の解説にもあるのだが、いわゆる宮大工の技能を承継させるために、長期間かつ大規模なプロジェクトを組む必要がある。実際にこのように技術伝承をやっているからこそ、宮島に台風の被害が生じた際にも、復興を果たすことが出来たわけである。

世界遺産ではないものの、伊勢神宮では、20年に一回「式年遷宮」と呼ばれる建造物の建て替えの制度がある。これの意義については諸説あるが、技術の承継のために大きな役割を果たしているという点については、実際の効用を鑑みる限り否定のしようがない。

アンティグアのネルソンズ・ドックヤードについても、世界遺産に登録されてしまった以上、国家が責任を持ってメンテナンスをしなければならず、そこに、18世紀のイギリスの軍港という土木的構造物を再現するための技術者集団が必要になってくる。世界遺産がもたらす波及効果は、ホテルや飲食店といった観光関連産業に集中して議論されがちだが、伝統文化に関係する技術への需要も発生するため、そこに雇用が創出される。

現状の世界遺産という仕組みには、本書で述べてきたように問題も多いのであるが、技術者に対する長期雇用を生み出すという点については評価されるべきであろう。

産業遺産としての製糖工場

ところでガクシャとして2つの島を概観して見るに、世界遺産を考えるならば、これまで紹介した2ヵ所よりももっと座りがよく、筋の良い観光資源は製糖工場の跡ではないだろうか。

砂糖は、20世紀半ばまで非常に栄えた産業である。大日本帝国は、膨張期において、台湾南部やサイパンに製糖工場を展開したが、砂糖づくりは労働集約型産業と言ってよく、多くの人手が必要であったため、20世紀前半の朝鮮半島から、サイパンに割のいい仕事を求めて多くの者が移り住んだ。サイパン島に、未だにハングルだけで生活できるエリアがあるのはこの時の名残である。

産業遺産と言った時に、世界的にはそこに影の要素を読み込むのが通例であるという点は、既に本書の「産業遺産の光と影」の章でも述べた。英仏を始めとするヨーロッパ諸国が先住民を征服し、アフリカから奴隷を導入して製糖工場を作ったという話は、世界遺産制度の本来の趣旨に適い、残すべき記憶と言えよう。ただ、このストーリーで観光振興がどの程度できるか考えてみると心もとなく、「残虐なイギリス人」と「大英帝国の栄光」を比べた時に、どちらが誘客しやすいかと問われれば、後者のほうが仕組みを作りやすい。

　確かに前者で展開することも無理ではなく、沖縄などは戦争の記憶とビーチレジャーが共存している。しかし、カリブ海の主要客層はマリンリゾートとクルーズ船であり、沖縄のような修学旅行の誘致は難しい。アメリカの場合、仲間内の卒業旅行や、バスを使った研修旅行はあるものの、日本で言うところの制度化された修学旅行が旅行市場として確立しているわけでもないので、マーケティングがそもそも出来ない。

　こうした中で世界遺産と観光の結合を考えた場合、客層に合わせた「光の歴史」で世界遺産を活用しようとすることはやむを得ないかもしれない。実際、アンティグア島には、かつて“Sugar Park”と呼ばれた製糖に関する見学施設があったようなのだが、私が訪問したときは既に廃墟化してから相当の年月が経っていたように思われる。

　ただ、台湾南部やサイパンでも、大日本帝国時代の産業遺構として製糖施設の一部は残っており、しかも多くの観光客を惹きつけている。特に台湾については、その規模に目を見張る。これらは帝国主義時代の膨張政策の典型的な表れであるが、特に日本を弾劾する

アンティグア・バーブーダにある廃墟化した砂糖公園

説明があるわけではない。仮にカリブの島々が、砂糖の歴史に関連した世界遺産登録を目指す際には、「イギリス統治下において起きた酷いこと」ばかりを前面に出さなくとも、光としての大英帝国と、影としての奴隷労働を有機的に結びつけて、まさに「観せる」方法を探っていくことが可能であろう。

ダークツーリズムとしての食

旅も終わりに近づいてきた。旅行の大きな楽しみの要素には「食」があるので、ダークツーリズムの観点からこの点について考えておきたい。

実は、食とダークツーリズムは切っても切れない関係にある。悲しみの記憶を巡るダークツーリズムは、虐げられた人々の苦しみの跡を辿ることになる。当然、不遇な人々は食べ物に苦労していたわけで、生活の中から工夫された様々な食文化が生まれた。

フライドチキンはその最たるもので、アメリカの黒人奴隷たちが、食材としては重要視されていなかった鶏肉を揚げて食したのがその起源であると言われている。この話はアカデミー賞を受賞した映画*『グリーンブック』にも登場しており、黒人のピアニストにフライドチキンを勧めるシーンが、人種の属性を思い込みで決めがちであるという批判的視点から表現されている。とはいうものの、生活の苦しかった黒人奴隷が、忙しさの中で手軽に栄養の取れる料理をまさに「発見」し、それが全世界に広がっているわけだから、その壮大なストーリーは尊敬に値する。

＊『グリーンブック』：ピーター・ファレリー監督。天才黒人ピアニストと彼に雇われたイタリア系白人の用心棒兼運転手が、黒人用旅行ガイド『グリーンブック』を手に人種差別が残るアメリカ南部を巡る。２０１８年公開。

日本国内を見ても大阪を中心としたホルモン焼きの文化、中国人留学生に腹いっぱい食べさせてやりたいという中華料理店・四海樓の願いから生まれた長崎ちゃんぽんなど、貧しさの中から生まれた素晴らしい食文化は枚挙にいとまがない。

ただ、現状、ユネスコとして食をオーソライズできる世界無形文化遺産の中に、いわゆるこうした「Ｂ級グルメ」は登録されていない。トルコ料理・地中海料理・日本食・キムチの製法など食や料理に関連した遺産群は国家の光の部分の登録であって、世界文化遺産にあるような「影の記憶も登録する」という状況には未だなっていない。私見としては、ユネスコのこうした対応はたいへん残念であり、推薦する国の側も、「辛苦の味」ともいうべき価値を国際的にアピールする方策を練ってはどうだろうか。

幸いにして日本人は、「B級グルメ」に大きな意義を見出しており、地域おこしや観光とも連動させている。今や国民食となったラーメンの起源は諸説あるものの、一つに関東大震災後に手軽な食事として普及したという研究もあれば、焼き餃子については日本の満州国建国とそこからの苦難の引揚げによって、日本にもたらされたという経緯がある。こうしてみると、もはや国民食になっている「ラーメンと餃子」も、ダークツーリズムの観点から、無形文化遺産として登録されて良いかもしれない。

話をカリブに戻そう。セントクリストファー・ネイビスもアンティグア・バーブーダも、黒人奴隷の末裔が建国した国家であるが、残念ながら「とても旨い料理」というのには出会えなかった。この地に連れてこられた黒人奴隷は、アフリカでの日常生活から切り離されて強制移住させられているため、ふるさとの味は一度断絶している。しかも、プランテーションで暮らす奴隷たちは、もちろん食を楽しむということも難しいので、構造的に美食は発達しにくい。私の場合、旅行は半分仕事なので、どんなに不味そうに見えても、業務だと思って旅先の料理を食べていくことになるのだが、ローカルの食堂で食べた緑色のヤギのカレーは匂いもあってなかなかきつかった。他に、バナナフリッターはこの地ではプラタノフリートと呼ばれており、これはおやつのように楽しめたが、どうしても食いた

長粒種のカリビアンライスとともに楽しむカレー的な煮物

いというほどでもなく、夜に私が食したグルーパーフィンガーズと呼ばれるフィッシュフライも生臭い魚が供された。肉料理は、カリブ海名物としてジャークチキンが有名なのだが、甘辛いソースが単調で、「わざわざここまでこれを食べに来たい」という感じもしない。またクルーズの観光客が行くレストランのメニューでは、ほぼこうしたローカルの食文化が捨象されているので逆に寂しく、フランス料理を始めとしたどこにでもあるインターナショナルな洋食ばかりが目についた。

私が訪問した2島のカリブ料理が単調なのは、イギリスの植民地だったということも大きいのであろう。ベトナムなど、フランスの勢力圏に入った地域は、現地料理と結合した見事な食文化が花開くが、イギリスの場合は比べてみるとそうした展開に乏しい。ただ、カリブにおいて長粒種のコメだけは、好きなだけ食べることが出来た。元々の侵略者であったスペインが、フィリピン等の東南アジアから持ち込んだもので、こちらでは普通にカリビアンライスとして供されている。コメは、とうもろこしや小麦といった他の穀類と比べて、作付面積あたりから得られるカロリー数が大きく、しばしば「人口支持力が高い」という表現がされる。カリブでの奴隷の暮らしは過酷ではあったが、米食はその労働を支えたとも言えよう。

コメがカリブ海に存在しているという点は、世界史的なストーリー性があり、魚は間違いなく新鮮で良いものが捕れているので、味や料理法の指導をすれば、この島で生まれるべき新しいカリブ料理が育ってくることが期待される。観光支援というとホテルやアトラクションを作ることに話が傾きがちであるが、こうした「美味いものを作るための支援」についても検討していくべき時期である。

漫遊を終えて

わずか１週間であったが、今回の旅は、今までとは別の視点から世界遺産について考えるきっかけを得られたことが大きな収穫であった。ただ日本からはあまりに遠く、レゲエ音楽に関心がなければ、どうしてもここを訪れようとする人はそれほど多くはないであろう。

それでもヨーロッパの侵略と先住民の殲滅《せんめつ》、そして黒人奴隷の辛い歴史など、見方によってはこの地ならではのダイナミズムを体感することも出来るかもしれない。アメリカ駐在などで、長期に東海岸に滞在する場合は、カリブに避寒するという選択も当然視野に入ってくる。また、島の旅が好きな人は、ちょっと行くだけでも、日本や太平洋の島々とは全く異なる旅のテイストに興味を持たれるのではないだろうか。

カリブの島々は、もともと観光産業への依存度が高く、新型コロナウイルスの流行で、経済はまさに壊滅的状況になってしまった。そもそもクルーズ船という観光業態がもはや成り立たないため、ビジネスモデルの転換を考える必要がでてきている。

こうした状況下、もし、この紀行を目にされた方が、将来において実際セントクリストファー・ネイビスやアンティグア・バーブーダに行かれるのであれば、水も出ないコテージのマネージャーや勝手に予約を取り消したレンタカー店など、諸々私と関わりのあった人々に、少し感謝をしてもらえないかなと日本でしみじみと遠くの異邦を思い出す。

あとがき

本書の素案は、集英社の季刊雑誌『ｋｏｔｏｂａ』に、４回にわたって掲載された「ダークツーリズムと世界遺産」が元になっている。この企画は、ダークツーリズムという新しい観光形態についての雑誌記事を考えた場合、単に紀行文としての意味を越え、さらに別の観点から掘り下げる方法があるのではないかという編集者との話し合いの中で生まれてきた。日本で知られつつあるダークツーリズムを世界遺産と組み合わせて論じてみようとする試みは、私のモチベーションを大いに刺激し、一気に構想が膨らんだことを覚えている。約１年にわたって筆者の伴走をしてくれたｋｏｔｏｂａ編集部の担当者には、まずもって謝意を伝えたい。

また、潜伏キリシタンの章に関しては、ムック本である『真実の潜伏キリシタン関連遺産』（メディアボーイ）に記した紀行と考察を、本書のために再構成した。この取材は時間もお金もかかるものであったが、温かく見守り応援してくださった中田薫編集長には大変お世話になり、心より御礼申し上げる。さらに中田氏には、集英社の雑誌記事を組み合わせて単行本化できないかという希望を伝えたところ、本書の編集に携わることになる山崎三郎氏を紹介いただき、出版に向けての具体的算段をつけてくれた。

実質的に本書を編集いただいた山崎三郎氏は、文春新書の編集部と私の間に入り、大変骨の折れる作業をしていただくことになった。本来２０１９年のうちに出したいと言っていたこの本の出版がここまで遅れたのはひとえに筆者の怠惰ゆえであるが、長きにわたって筆者を励まし、なんとか脱稿までこぎつけられたのは彼の力によるところが大きい。

本書を執筆するに当たっては、お世話になった多くの忘れ得ぬ方々がいる。

2章のポーランドについては、アウシュビッツ・ビルケナウ博物館のガイドである中谷剛氏および京都市立芸術大学の加須屋明子教授から有益な知見を賜った。3章の産業遺産の研究に当たっては、飛び込みの取材であったにもかかわらず、石見銀山資料館の皆さんは私を温かく迎え入れてくださり、深い議論を体験することが出来た。また世界の記憶として登録されている山本作兵衛の作品に関する調査については、田川市石炭・歴史博物館から格別のご厚情をいただいた。小樽商科大学の江頭進副学長には、『資本論』の引用にあたって、図書館との媒《なかだち》をお願いした。オーストラリアの記述については、『ダークツーリズム拡張』（美術出版社）を出す際に作っておいた産業遺産関連の別の取材メモから書き起こすことになり、予期せぬ波及にありがたく思う次第である。4章では、長島愛生園歴史館で学芸員をされている田村朋久氏との協働を通じて、蒙を啓かれることが何度かあった。こちらが世界遺産に登録される日が来ることを心より祈っている。5章においては、外来の訪問者には見えにくい「隠れキリシタン」の社会について、外海《そとめ》潜伏キリシタン文化資料館館長の松川隆治氏から詳しいお話を聞く機会に恵まれた。6章については、東北の被災地をフィールドとする瀬尾夏美画伯とのやり取りを通じて、復興の本質について深く考える契機となった。7章では、ホテル産業の構造に関して、東洋大学の徳江順一郎准教授から近年の状況を教えていただくとともに、文化産業の国際比較については公立小松大学の朝倉由希准教授から詳しい説明を受けた。付章については、ＪＩＣＡから貴重な資料の提供を受けた。本書に誤りがあるとすれば、それは全面的に筆者の責めに帰されるべきであるが、ここに記したご協力がなければ、本書が生まれ得なかったこともまた事実である。お名前を挙げることが出来たのはほんの一部の方のみであるものの、旅の核心的価値が「出会い」にあることも示したく、あえて御礼を申し上げておきたい。

さらに、世界遺産とダークツーリズムとの関係性に、歴史家の視点から関心を寄せていたハーバード大学のアンドルー・ゴードン教授は、共同研究者として筆者を啓発し続けるとともに、２０１９年の12月から暫く、筆者をハーバード大学ライシャワー日本研究所の客員研究員として招き入れてくださった。筆者にとっては50歳を超えて人生初の海外留学であり、教授と議論を深めることで、本書のテーマが深く掘り下げられていった。この度の出版に際しては、帯の文言も賜り、真《まこと》にもって感謝に堪えない。アメリカでゴードン教授の謦咳に接するとともに、日本国内で先生と調査した日々は私にとっては大切な思い出となった。

また長崎大学の深見聡准教授は、多くのトピックに関して筆者と討論し、理解を深めてくれた。彼との時間は、学問上の大きな喜びであった。

資金面については、前任の追手門学院大学の学内研究費にかなり救われている。退職して3年ほど過ぎたが、大学としての発展を祈念している。なお、資料購入などで、一部、科学研究費の挑戦的萌芽研究「ダークツーリズムで観る高度科学技術社会の新局面」（研究代表者・井出明）、基盤研究（C）「地域観光情報の深化と情報リテラシーに関する研究」（研究代表者・一戸信哉）、同（C）「ダークツーリズムを援用した災害記憶ならびに復興記憶の継承手法確立」(研究代表者・髙木亨)、同(C)「観光と社会空間の再構築に関する文化人類学的研究——長島をめぐって——」(研究代表者・八巻惠子)から助けていただいている。共同研究者の先生方には、重ねて御礼申し上げる。また現勤務校の金沢大学においては、同僚との日常の中でインスピレーションを与えられることが多く、特に生物学を専門とされる垣内康孝教授とのやりとりからは、異分野の視点の重要性に気付かされることがしばしばあった。

校正については、大学院生の倉本啓之君と元ゼミ生の守屋豊君の手をわずらわせることになり、彼らの尽力については改めてねぎらいたい。

私事ながら、本テーマで本格的に執筆を始めた２０１７年は、初めて私に子供が生まれた年であり、本来なら共に家庭を築くべき砌《みぎり》に調査旅行へ出ることを許してくれた妻には、未だに申し訳ない気持ちを持っているし、生まれたばかりの時期に寂しい思いをさせた娘には、たとえ彼女本人が覚えていなかったとしても、父として率直に詫びないといけないであろう。家族への贖罪となるかはよくわからないところはあるが、本書の出版によって家を空けていた時期にどのような仕事をしていたのかが妻子に伝わるのであれば、それもまた私と家族にとっての鎹《かすがい》になるのではないかと思っている。

さて、本書の執筆を始めた頃には全く予想していなかったことだが、世界的に新型コロナウイルスが蔓延してしまった。残念ながら、本稿執筆の最終段階では、まだこの新しい疫病は猛威を振るっている。そうした社会情勢の中で、これからは、我々が全く想定していなかった未知なる観光の動きが生まれてくるであろう。その際、対象を従来とは別の視点から掘り下げるこの「ダークツーリズム」という新しい手法が、地域社会や観光事業者にとって何らかの役に立つのであれば、研究者としては本望である。

最後に、ダークツーリズムというテーマの特性上、本書が生まれる前提として、非業の死を遂げられた多くの犠牲者がいることは忘れてはならないと思う。こうした方々が安らかに眠られることを祈るとともに、お世話になったすべての方々に本書を捧げる。

参考文献・資料

書籍

東浩紀『ゲンロン戦記』中央公論新社　２０２０年

東浩紀（編）『福島第一原発観光地化計画』ゲンロン　２０１３年

井出明（監修）『DARK tourism JAPAN 産業遺産の光と影』東邦出版　２０１５年

瀬尾夏美『あわいゆくころ――陸前高田、震災後を生きる』晶文社　２０１９年

西村幸夫・本中眞（編）『世界文化遺産の思想』東京大学出版会　２０１７年

深見聡・井出明（編）『観光とまちづくり―地域を活かす新しい視点―』古今書院　２０１０年

松浦晃一郎『世界遺産　ユネスコ事務局長は訴える』講談社　２００８年

Lennon, J & Foley, M: *Dark Tourism*, Cengage Learning EMEA 2000

Urry, J: *mobilities*, Polity 2007〔日本語版：ジョン・アーリ（著）吉原直樹・伊藤嘉高（訳）『モビリティーズ――移動の社会学』作品社　２０１５年〕

Wohlmuther, C & Wintersteiner, W (Eds.): *International Handbook on Tourism and Peace*, Drava Verlag 2014

論文

荒井政治「トマス・クックによる旅行業の開拓」 経営史学19（2） pp. 65–79 経営史学会 １９８４年

岸佑「廣島」と「ヒロシマ」の間――平和記念公園の史的研究 ＩＣＵ比較文化（41）pp.243–274 国際基督教大学比較文化研究会 ２００９年

深見聡「長崎と天草地方の潜伏キリシタン関連遺産」とダークツーリズム ゲストとホストの邂逅の視点から 観光学評論5（2）pp. 185–196 観光学術学会 ２０１７年

パンフレット・報告書類

株式会社シィー・ディー・アイ『令和元年度文化庁受託事業「諸外国における文化政策等の比較調査研究事業報告書［重点テーマ：府省庁間・機関連携］」』文化庁 ２０２０年

厚生労働省『平成29年版厚生労働白書―社会保障と経済成長―』日経印刷 ２０１７年

田川市石炭・歴史博物館／田川市美術館『炭坑（ヤマ）の語り部 山本作兵衛の世界 ５８４の物語』田川市石炭・歴史博物館／田川市美術館 ２００８年

Auschwitz-Birkenau Memorial and Museum: *Report 2019*, Auschwitz-Birkenau w Oświęcimiu, 2020

Tourism of Cambodia: *Cambodia Tourism Statistics Report 2018*, Ministry of Tourism Phnom Penh, 2019

統計類

総務省統計局：平成26年全国消費実態調査
https://www.stat.go.jp/data/zensho/2014/index.html
The World Bank（世界銀行）：World Bank Open Data
https://data.worldbank.org/

ＷＥＢサイト

星野リゾート：星野リゾートの「マイクロツーリズム」ご近所旅行のススメ
https://www.hoshinoresorts.com/sp/microtourism/
ＪＩＣＡカンボジア事務所：カンボジア投資環境
https://www.jica.go.jp/cambodia/office/information/investment/ku57pq00001vjq3m-att/investment_cam.pdf
日本ユネスコ協会連盟公式サイト
https://www.unesco.or.jp

※なお、登録された世界遺産に関しては、公式ホームページおよびユネスコの該当ＷＥＢサイトを適宜参照している。また、本文で言及した博物館についても、公式ホームページの記述を参考にした。

初出一覧

第1章　書き下ろし

第2章　「ダークツーリズムと世界遺産（第1回）アウシュヴィッツとクラクフから考える」『kotoba31　2018年春号』（集英社）2018年3月

第3章　「ダークツーリズムと世界遺産（第2回）産業遺産の光と影：軍艦島、オーストラリア囚人遺跡群、石見銀山」『kotoba32　2018年夏号』（集英社）2018年6月

第4章　「ダークツーリズムと世界遺産（第3回）『島』の悲劇性を考える」『kotoba33　2018年秋号』（集英社）2018年9月

第5章　「潜伏キリシタン関連遺産を観る目」および「旅の終わりに世界遺産を考える」『真実の潜伏キリシタン関連遺産』（メディアボーイ）2018年11月

第6章　「ダークツーリズムと世界遺産（最終回）〝復興のデザイン〟と世界遺産」『kotoba34　2019年冬号』（集英社）2018年12月

第7章　書き下ろし

付章　書き下ろし

※雑誌掲載原稿については、本書への再録に当たり、加筆修正を施した。

井出　明（いで あきら）

1968年生まれ。京都大学経済学部卒、同大学院法学研究科修士課程修了、同大学院情報学研究科博士後期課程指導認定退学。京都大学にて博士号（情報学）を取得。近畿大学助教授、首都大学東京准教授、追手門学院大学教授、ハーバード大学客員研究員などを歴任。現在、金沢大学国際基幹教育院准教授。日本に「ダークツーリズム（災害や戦争の跡など〝悲劇の記憶〟を巡る旅）」を広めた気鋭の観光学者。社会情報学の手法を用いて、新しい時代の観光研究を行っている。

文春新書

1313

悲劇《ひげき》の世界遺産《せかいいさん》
ダークツーリズムから見《み》た世界《せかい》

2021年5月20日　第1刷発行

著　者　井出　明
発行者　大松芳男
発行所　株式会社　文藝春秋

〒102-8008　東京都千代田区紀尾井町3-23
電話（03）3265-1211（代表）

印刷所　理想社
付物印刷　大日本印刷
製本所　加藤製本

定価はカバーに表示してあります。
万一、落丁・乱丁の場合は小社製作部宛お送り下さい。
送料小社負担でお取替え致します。

ISBN978-4-16-661313-7

◆経済と企業

金融工学、こんなに面白い　野口悠紀雄
リープフロッグ　野口悠紀雄
臆病者のための株入門　橘　玲
臆病者のための億万長者入門　橘　玲
熱湯経営　樋口武男
先の先を読め　樋口武男
就活って何だ　森　健
資産フライト　山田　順
ビジネスパーソンのための契約の教科書　福井健策
ビジネスパーソンのための企業法務の教科書　西村あさひ法律事務所編
ブラック企業　今野晴貴
ブラック企業2　今野晴貴
税金　常識のウソ　神野直彦
売る力　鈴木敏文
日本型モノづくりの敗北　湯之上隆
詐欺の帝王　溝口　敦
さらば！　サラリーマン　溝口　敦
トヨタ生産方式の逆襲　鈴村尚久
グローバリズムが世界を滅ぼす　エマニュエル・トッド　ハジュン・チャン　柴山桂太・中野剛志・藤井聡・堀茂樹
税金を払わない巨大企業　富岡幸雄
消費税が国を滅ぼす　富岡幸雄
あなたの隣のモンスター社員　石川弘子
新自由主義の自滅　菊池英博
安売り王一代　安田隆夫
働く女子の運命　濱口桂一郎
人工知能と経済の未来　井上智洋
「公益」資本主義　原　丈人
お祈りメール来た、日本死ね　海老原嗣生
2040年全ビジネスモデル消滅　牧野知弘
生き返るマンション、死ぬマンション　荻原博子
最強の相続　荻原博子
ルポ　税金地獄　朝日新聞経済部
日本株式会社の顧問弁護士　児玉　博
自動車会社が消える日　井上久男
日産vs.ゴーン　井上久男
新貿易立国論　大泉啓一郎
世界史を変えた詐欺師たち　東谷　暁
日銀バブルが日本を蝕む　藤田知也
AIが変えるお金の未来　坂井隆之・宮川裕章＋毎日新聞フィンテック取材班
なぜ日本の会社は生産性が低いのか？　熊野英生
会社員が消える　大内伸哉
キャッシュレス国家　西村友作
農業新時代　川内イオ
総会屋とバブル　尾島正洋
吉本興業の約束　大﨑　洋　坪田信貴

文春新書のロングセラー

樹木希林
一切なりゆき
樹木希林のことば

二〇一八年、惜しくも世を去った名女優が語り尽くした生と死、家族、女と男……。ユーモアと洞察に満ちた希林流生き方のエッセンス

1194

中野信子
サイコパス

クールに犯罪を遂行し、しかも罪悪感はゼロ。そんな「あの人」の脳には隠された秘密があった。最新の脳科学が解き明かす禁断の事実

1094

橘　玲
女と男　なぜわかりあえないのか

単純な男性脳では、複雑すぎる女性脳は理解できない！　「週刊文春」の人気連載「臆病者のための楽しい人生１００年計画」を新書化

1265

ジャレド・ダイアモンド　ポール・クルーグマン　リンダ・グラットンほか
コロナ後の世界

新型コロナウイルスは、人類の未来をどう変えるのか？　世界が誇る知識人六名に緊急インタビュー。二〇二〇年代の羅針盤を提示する

1271

立花　隆
知の旅は終わらない
僕が３万冊を読み１００冊を書いて考えてきたこと

立花隆は巨大な山だ。政治、科学、歴史、音楽……、万夫不当の仕事の山と、その人生を初めて語った。氏を衝き動かしたものは何なのか

1247